KB096662

행복, 나만의 무지개

행복, 나만의 무지개

발　행 | 2024년 6월 24일
저　자 | 최영자
펴낸이 | 한건희
디자인 | 권영민
펴낸곳 | 주식회사 부크크
출판사등록 | 2014.07.15.(제2014-16호)
주　소 | 서울특별시 금천구 가산디지털1로 119 SK트윈타워 A동 305호
전　화 | 1670-8316
이메일 | info@bookk.co.kr

ISBN | 979-11-410-9095-1

www.bookk.co.kr
ⓒ 최영자 2024

행복, 나만의 무지개

최영자 지음

CONTENT

내조의 여왕에서 여사장으로

"따르릉~ 여보세요? 고객님, 안녕하세요?", "네~ 주문 감사합니다. 정성껏 보내드릴게요." 이렇게 상냥한 말투로 고객과 소통하고 있는 나는 예전에는 이런 내가 아니었다.

늘 농사일로 바쁜 시어머님은 "오늘은 이 밭의 잡초를 다 뽑아야 한다." "내일은 저 큰 밭 마늘을 다 캐야 한다." "눈이 오기 전에 생강을 다 캐야 한다."라고 재촉의 말씀을 하시고, 남편은 "아무개 엄마~ 경유 좀 사 와야 하는디." "아무개 엄마~ 모판 좀 가져와야 하는디." "아무개 엄마~ 밥 줘."

이렇게 나는 자신을 돌아볼 새도 없이 하루하루를 바쁜 농사와 가족들만을 위해 살아야 했다. 그러나 속으로는 왠지 답답하고 우울한 나날의 연속 마음속에는 늘 석연치 않은 마음이 가득 차

있어 말 한마디라도 할라치면 퉁명스러운 말투와 목소리로 "그려유, 알았어유!"라고 짧은 단어만 사용하는 재미없는 여자였다.

남들은 산과 들을 보면서 "꽃이 아름답다.", "단풍이 아름답다.", "향기로운 풀 내음이 어떻다."고 시인처럼 말하지만, 나는 일 년 내내 논밭에 엎드려 허리 펼 새도 없이 일꾼처럼 일만 하다 보면 서글플 때가 한두 번이 아니었다. 그렇게 꽃이 피는지 단풍이 곱게 물드는지도 모르고 하늘 한번 못쳐다 보고 살 정도로 바쁜 농촌 흙 속에 묻혀 살면서도 나는 늘 나의 미래를 위해 무지개 꿈을 잃지 않고 살아왔다

나는 내가 태어나서 내 인생을 내 의지대로 한번 꿈을 펼쳐보고 싶다는 생각이 은연 중에 담겨 있었다. 넓은 세상과 소통하며 보람 있는 일을 해 보지 못하고 살면 나중에 반드시 후회할 것 같은 생각이 들었다. 그래서 여기저기 좋은 교육이 있다고 하면 바쁜 중에도 열심히 참석해서 나의 의식을 깨우치는데 노력을 했다. 그 열린 의식을 토대 삼아 '무에서 유를 창조해 보자, 늦다고 생각할 때가 기회다', '그래 나도 해 보자.' '내가 지은 농산물로 가공상품을 개발해서 내 이름을 걸고 보람 있는 일을 한번 해 보자.' 그렇게 결심하고 나니 나의 가슴이 뜨거워지기 시작했다. 뜨거운 가슴 한편으로는 기쁘기도 하지만 농사만 짓던 내가 할 수 있을까? 두렵고 걱정도 했지만, 용기를 다해 무작정 농업기술센터

에 문을 두드리고 사업계획서를 준비하여 신청서를 냈다.

2010년, 남들은 하던 일도 중단하고 정년퇴직할 늦은 나이 56세에 드디어 제품개발 시작 '어떤 제품을 만들까?'라는 생각으로 밤잠을 설치던 중 마케팅 교육 시간에 하시던 강사님의 "사업이란 내가 제일 잘할 수 있는 제품을 만들어야 망하지 않는다."는 말씀이 생각났다. 그때 친정엄마의 조청이 생각났다. 친정엄마가 만들어 주시던 그 추억의 전통조청은 설탕 과다로 성인병에 시달리는 현대인들에게 자연의 단맛을 낼 수 있는 조청이 가치가 있다고 생각해 도라지조청, 생강조청, 구절초조청, 쌀조청을 개발했다.

그 옛날 약이 없던 시절, 친정집은 큰 방앗간 집으로 쌀이 많아 친정엄마는 해소 기침으로 고생하시는 할머님께 도라지조청과 생강조청을 만들어 머리맡에 놓아 드리고 생리통으로 고생하는 언니들에게는 구절초조청을 여름 광란에는 익모초 조청을 만들어 식구들의 건강을 챙겨주셨다.

조청 만드실 때마다 엄마는 곤히 잠든 막내딸 나를 불러내어 엿 솥에 "불을 때라.", "엿 솥을 저어라."고 하셨고 고두밥이 잘 삭아서 밥알이 동동 떠 있는 식혜를 자루에 담아 짤 때는 엿자루에 절굿대를 올려놓고 엄마랑 양쪽에서 힘껏 눌러야 했다. 어렸을 때 엄마는 그렇게 힘든 조청을 만드시느라 우리까지 힘들게 하실까 원망도 많이 했었는데, 지금 와서 생각하니 그때 경험이 사업의 기초가 되었다.

조청을 만들 때 들었던 어머님 말씀 가운데 "조청의 맛은 엿기름을 잘 길러야 맛이 좋은 단맛이 난다.", "엿기름은 추울 때 길러야 단맛이 잘 난다.", "엿기름을 잘 기르려면 좋은 보리로 사용해야 한다." 엄마의 그런 말씀 하나하나가 백과사전 찾아보듯 새록새록 기억이 나서 친정어머니 가르침을 받아 서산 조청 명인이 될 수 있었다. 그리고 지금은 "아무개의 부인", "아무개의 엄마"가 아니라 세계에서 제일 조청을 맛있게 만드는 서산명가 대표, 서산 조청명인 최영자로 다시 태어났다.

남편 밑에서 농사만 짓던 시골 아줌마가 사업을 시작한다는 것은 쉬운 일이 아니었다 넘어야 할 산이 너무 많았다 우리 땅은 넓어도 건물 지을 땅은 마땅치가 않아 식품공장 허가 내기가 하늘에 별따기였다. 땅도 허가를 내야하고 건물을 지으려면 허가받아야 할 일이 한 두 가지가 아니었다. 남편과 상의 끝에 내가 맡아서 하기로 허락을 받고는 서류 가방 들고 무작정 시청민원실을 찾아가 토목과, 건설과, 위생과 등등 찾아다니며 부탁을 드렸다 처음 시청에 가서는 어떤 부서로 가야 할지 막막하고 어리둥

절해 일일이 물어보고 안내를 받으며 간신히 찾아가 담당자님들 앞에 앉으면 용어조차도 잘 몰라 더듬으면 우리 서산시 시청 주사님들께서는 친철하게 가르쳐 주시고 다음에 찾아갈 곳도 친절하게 안내해 주어 너무 감사했었다 그렇게 시청 문턱이 닳고 닳도록 드나든 덕에 무사히 사업허가가 완료되니 내가 해냈다는 게 더 뿌듯했다. 또 설계사무소를 찾아가 설계를 부탁하고 내가 사용할 사업장이니 여간 신경이 쓰이는 게 아니었다. "여기는 이렇게 해주세요. 저기는 이렇게 해주세요." 목마른 사람이 샘 판다는 말처럼 시작하니 머리가 핑핑 돌아가는 것이었다. 지금 생각하면 어떻게 그런 생각을 했는지 내가 생각해도 신기하다 공사를 시작 건물 완공을 끝내고 부푼 가슴을 안고 가마솥을 걸고 처음 조청을 만들기 시작 재미를 붙일 만할 때 예상치 못한 시련이 닥치고야 말았다. 고진감래라고 시련 없이 되는 일은 없나 보다. 꽃길만 걸을 줄 알았던 나의 사업이 시작하자마자 큰 시련을 겪어야 했다. 태풍 콘파스가 우리 마을을 휩쓸었다. 태풍의 위력이 얼마나 컸던지 집 근처 바다에서 하늘 높은 줄 모르고 날아오른 파도가 태풍을 타고 온 산과 들에 짠물을 뿌렸다. 그 결과 농작물이 소금에 절여져 한 해 농사를 망쳤으며, 몇백 년 자란 소나무들이 고사리 꺾어지듯 꺾어지고 내 꿈의 사업장도 무서운 태풍을 이기지 못하고 무참히 허물어져 뼈만 앙상히 남아 버렸다. 말 그대로 절망 상태였다. 새로 지은 공장은 반토막이 허물어져 간데없고 새로 산 집기와 그릇들이 뒷산으로 모두 날아가 버렸으며 단단히 고정해 놓은 가마솥이 뽑혀버린 어처구니없는 광경 앞에서 펄썩 주저앉아 눈물만 흘릴 수밖에 없었다. 그래도 든든한 남편과 고마운 이웃과 지인이 있었기에 다시 힘을 얻어 일어설 수 있었지만, 너무도 허망했던 일이라 생전 못 잊을 것 같다. 다시 허물어진 사업장을 보수하고 없어진 집기들을 새로 구입하고 서산명가라는 상호를 내걸고 조청 제품을 만들기 시작했다. 그렇게 어려운 고비를 무사히 넘기고 다시 일어나 사업을 시작 사업장에 대표는 당연히 우리 집 가장이신 남편이 되야 하지만, 나는 내가 개발한 상품을 만드는 서산명가 사업장은 내가 주도하고 싶은 마음에 남편께 양

해를 얻어 사업자 등록에 내 이름을 올리게 되었다. 그래서 가정주부에서 여사장으로 나의 인생 전환이 시작되었고 나의 꿈이 날개를 달고 훨훨 날기 시작했다. 그때 사업을 해야겠다는 탁월한 결정이 오늘 명품 조청 서산명가 대표가 되었고, 서산명인으로 지정받아 조청명인 최영자가 되었다. 이제야 내가 하고 싶은 일을 하니 꽃도 예쁘고 단풍도 예쁘고 내게 주어진 모든 자연환경이 모두 감사하고 행복하고 즐겁기만 했다.

서산명가 대표가 되니 개인 내가 아니었다. 귀한 사람의 먹거리를 책임진 막중한 사람이 되었고, 신용을 목숨처럼 지켜야 하는 사람이 되어야 했다. 나도 모르게 믿고 구매하시는 소중한 고객님들에게 항상 감사한 마음이 생겼다. 그러니 고객님들 대하는 나의 목소리가 저절로 상냥해졌다.

평범한 가정주부에서 여사장이 되기까지 서산시 농업기술센터에서 열심히 배운 교육의 힘이었으며 나의 숨은 노력이 있었다. 내가 활동하기 시작한 것은 2003년쯤 내가 40대 초반이었다. 그때 부석면 생활개선회에 가입하고 나고부터였다. 생활개선회원이 된 후에야 농업기술센터를 알았으며 농업기술센터에서 농사교육 영농교육 프로그램만 진행하는 것만 아니라 똑똑한 농업인이 되도록 지도해 주고 다양한 교육을 해주는 농민의 요람 기관이었다.

농업기술센터를 학교로 알고 열심히 교육을 받다보면, 이슬비에 옷 젖듯이 발전된 나의 모습이 되리라는 생각으로 인터넷 교육, 블러그 교육, 홈페이지 교육, 마케팅 교육, 사진찍기 교육, 사진 편집 교육, 동영상 교육, 체험현장 방문교육, 성공사업장 방문교육, 농업인 대학 등등. 배우고 익히고 이해 못하면 다시 재수해서 다시 배우고 하면서 열심히 열심히 배웠다.

그 시절 아직 서산에는 스마트폰을 사용하는 사람이 많지 않을 때임에도 e-비지니스 반 강사님은 "앞으론 스마트폰 시대가 옵니다.", "스마트폰을 사용할 줄 알아야 합니다."라고 강조했다. 강사님의 열강은 나의 가슴을 뛰게 했다. 교육생 중에 내가 제일 먼저 스마트폰을 구입해서 사용을 하니 모든 게 서툴렀지만, 지금은 익숙해져 가장 편리한 사무용품이 되었다.

또 복지회관 프로그램에 워드프로세서 자격증반에 등록하고 글쓰기를 배웠다. 컴퓨터가 서툰 나는 독수리 타법으로 한 글자 한 글자를 타이핑을 하다 보니 답답하기 그지없었다. 남들은 순식간에 한 장을 칠 때 나는 자판기에 기억, 니은을 찾느라 허둥대고 있었다. 노력해서 안 되는 게 없었다. 틈틈이 아이들이 사용하던 헌) 컴퓨터 앞에 앉아 타자 연습 프로그램을 열고 1분에 300타가 될 때까지 연습에 연습을 거듭해서 드디어 성공하고 무난하게 워드프로세서 공부를 마칠 수 있었다. 이렇게 컴퓨터를 잘 다룰 수 있게 되니 모든 것이 자신이 생겼다. 그동안 미루어 왔던 학업을 시작해 보자, 귀한 사람이 먹는 식품을 만드니 체계적인 공부를 해서 믿고 먹을 수 있는 제품을 만들어 보겠다고 마음먹고 대학 입학을 결심했다.

대학에 입학하려면 고등학교 졸업장이 있어야 했다. 인터넷으로 검정고시반을 등록해서 고등학교 졸업장을 취득했고, 남들이 힘들다고 만류하는 방송대 입학을 환갑이 다된 나이에 과감히 도전해서 2009학번으로 식품영양학과에 합격했고, 4년이라는 시간 뒤에 식품영양학 학사 졸업장을 취득했다.

돌아서면 잊어버리는 나이에 농사지으랴, 사업하랴 공부하랴, 중간고사와 기말고사 등 계란으로 돌을 치는 격이라고 남편조차도 믿어주지 않았다. 더욱이 식품영양학이라는 학과는 내 수준에서는 의사 공부를 하는 듯 너무도 힘든 과정이었다. 그때마다 '할 수 있다!', '할 수 있다!' '노

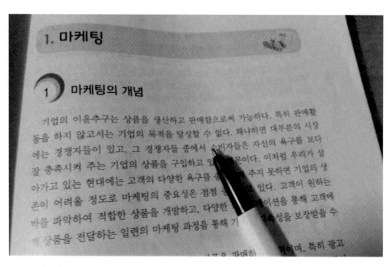

1. 마케팅

1 마케팅의 개념

기업의 이윤추구는 상품을 생산하고 판매함으로써 가능하다. 특히 판매활동을 하지 않고서는 기업의 목적을 달성할 수 없다. 왜냐하면 대부분의 시장에는 경쟁자들이 있고, 그 경쟁자들 중에서 소비자들은 자신의 욕구를 보다 잘 충족시켜 주는 기업의 상품을 구입하고 있기 때문이다. 이처럼 우리가 살아가고 있는 현대에는 고객의 다양한 욕구를 충족시켜 주지 못하면 기업의 생존이 어려울 정도로 마케팅의 중요성은 점점 커지고 있다. 고객이 원하는 바를 파악하여 적합한 상품을 개발하고, 다양한 마케팅 과정을 통해 기업에 상품을 전달하는 일련의 마케팅 과정을 통해 기업에 지속성을 보장받을 수 있으며, 특히 광고

력해서 안 되는 것이 어디 있으랴'라는 생각으로 주경야독, 낮에는 농사일 밤에는 공부 혀도 안 돌아가는 영어 공부와 식품 미생물 종류는 왜 그렇게 많은지, 신비한 인체는 왜 그렇게 복잡한지, 정말 외워도 외워도 머리에 기억되지 않았다. 편하게 살지 내가 왜 이렇게 고생을 사서 할까 하는 후회와 포기하고 싶은 생각이 끊임없이 맴돌았지만, 꼭 하고 싶었던 공부였기에 피나는 노력 끝에 드디어 자랑스러운 졸업장을 품에 안게 되었다.

공부할 때는 무던히도 힘들었지만, 식품영양학 공부를 하였기에 전통 기법으로 만든 조청이 우리 몸에 이로운 점이나 인공감미료나 설탕이 인체에 왜 안 좋은 건지 말할 수 있었고 내 제품의 장점을 당당히 설명할 수 있게 되었다. 내가 좋아하는 명언 중

에 "준비한 자에게 복이 온다"라는 말처럼 식품전문 공부도 열심히 하고 인터넷 교육도 열심히 받으니, 나에게도 행운이 운명처럼 다가와 나의 노력으로 쌓은 교육의 양식이 꽃으로 승화되어 아름답게 피기 시작했다.

내가 사업장을 열게 된 이유 중 또 하나 세상은 바뀌어 열심히 씨앗만 뿌리면 돈이 되던 농업이 우루과이라운드 에프티에이 협상으로 수입 농산물이 물밀듯이 들어와 완전히 무너져 버렸다 금값이던 쌀값이 껌값이 되고, 세계 각국의 농산물을 자유롭게 싼값에 먹을 수 있는 글로벌 농업시대가 오면서 우리 농업인들은 그만 빚더미에 앉고 말았다. 아이들 학비도 충당하지 못해 어려워하는 남편을 어떻게 도울 수 있을까 생각하다가 시작한 게 가격이 떨어진 쌀을 이용한 가공사업으로 조금이나마 소득을 높여 보고자 시작했던 것이었다 그러나 그냥 제품을 만들기만 하면 되는 게 아니었다. 홍보해야 하고 판매해서 매출을 올려야 하고 세금도 내야 했다. 옛날처럼 시장 전방에 늘어놓고 판매하는 시대가 아니었다. 인터넷으로 홍보하고 판매하는 인터넷 세상이었다.

나는 저축한 돈을 한 푼 한 푼 꺼내 쓰듯이 내가 배우고 익힌 식품영양학과 인터넷 교육을 사업경영에 사용하니 너무도 좋았다. 공장 설비도 인터넷을 검색해서 찾아보고 비교해 보고, 제품 박스와 라벨 디자인도 이메일로 전문가와 주고받으며 소통하고, 완제품도 직접 사진을 찍어 편집해서 블로그에 올려보고, 정성으로 만든 내 마을을 글로 써 올리고 우리 산골 마을 농사 이야기와 사진도 올리면서 교육받은 대로 서툴렀지만 하나하나 실천해 보았다. 인터넷의 위력은 정말 대단했다. 정말 가슴 뛰는 일이 이제 시작되었다. 서산명가 조청 제품이 인터넷 검색창에 1위로 뜨고 서산명가 사무실 전화가 쉴 새 없이 울려 주문이 쇄도하고 주문하는 분들이 늘어나기 시작했다. 그야말로 대박이 터져버렸다.

내가 서툴게 찍은 제품 사진 글을 블로그에 올렸는데 사람들이 인터넷을 검색하면 나의 제품이 검색되니 내가 평생 최고로 기쁜 일이 생겼났다. 옛날부터 불임에 좋다고 하는 구절초조청을 주문해서 먹은 한 새댁 고객님이 임신했다는 기쁜 소식이 전해 왔다. 임신이 안 되어 고민하던 끝에 구절초조청이 불임에 좋다는 말을 듣고 검색을 해 보니 서산명가 구절초조청이 첫 번째로 검색되어 주문한다고 했다. 너무 간절해서 좋은 소식 있으면 꼭 전해 달라고 했던 그 고객님이 주문한 지 한 달 만에 이렇게 임신이 되었다는 기쁜 소식을 전해줄 줄이야. '세상에 이런 일도 있구나. 내가 만든 구절초조청을 먹고 임신했다니. 이런 보람 있는 일이 또 있을까? 돈 버는 게 문제가 아니었다. 너무도 기쁜 일이 생기니 내가 이 사업을 정말 잘한 일이구나'라는 생각이 가슴이 벅차올랐다.

놀랄 일은 한 번으로 끝나지 않았다. MBN 방송국의 '천기누설' 프로그램에서 방송 촬영 제의가 왔었다. 방송국 작가가 검색하다가 서산명가 구절초조청을 발견해서 연락한 거였다. 기꺼이 수락하여 긴 시간 밤새워 촬영이 끝나고 드디어 방송이 나가던 날, 나는 또 한 번 깜짝 놀랐다. 방송이 끝나자마자 전화통에 불이 난 듯이 울려대고 주문이 쇄도했다. 국내뿐만 아니라 전 세계로 방송이 나가서 미국, 싱가포르, 중국, 일본, 캐나다 등 해외 고객들이 조청 가격보다도 비싼 국제 특송비를 부담하면서 주문하는 것이었다. 빼꼼히 하늘만 보이는 이 산골 벽지에 있는 서산명

가 사업장을 인터넷 덕분에 전 세계에 알려졌다. 계속된 재방송으로 주문은 끊임없이 들어왔고, 더운 여름 조청을 만드느라 땀을 얼마나 흘렸던지 잊을 수가 없다. 만들어도 만들어도 부족한 조청 빨리 안 보낸다고 큰소리로 소리 지르던 고객님들에게 기다려달라는 말을 할 때는 너무 미안해서 땅속으로 들어가고 싶었다. 그래도 무난히 주문받고 배송을 할 수 있었던 것은 농업기술센터 스마트폰 교육 덕분이었다. 스마트폰으로 고객과 소통하고 홈페이지에서 주문관리, 택배 조회 등 스마트폰 하나로 모든 일을 처리해서 가능한 일이었다.

지금은 소중한 나의 제품을 품질을 보증하는 해썹인증, 전통식품인증, 6차산업 인증 등 품질인증을 획득하여 명품 조청으로 인정받고, 새로운 고급포장 디자인에 다양한 제품을 만들어 입점하기 힘들다는 백화점에 입점하고 전국 농협 로컬푸드 매장에 자리를 잡았다.

끊임없이 나의 꿈을 향에 도전한 나에게 박수를 보내고 싶다. 돌아보니 내가 이렇게 자리를 잘 잡을 수 있었던 것은 나의 혼자 힘이 아니었다. 나를 믿어준 가족, 형제들, 이웃들 특히 농업인들을 잘 살 수 있게 아낌없이 물심양면으로 지원해 주고 교육해 준 서산시농업기술센터에 감사드린다.

심각한 나의 건망증

내 건망증은 나를 황당하게 만들 때가 너무 많다. 조심해야지 정신 똑바로 차리고 살아야지 내 마음에 채찍질을 해봐도 나의 건망증은 멈추질 않는다. 오늘도 건망증과 싸우며 조금 염려스러운 나의 기억력 증상을 헤아려 보려고 한다.

"내가 여기에 왜 와있지?" 왜 내가 여기에 와 서 있는건지 도대체 생각이 안 나서, 한참 동안 서서 머리를 돌려 보아도 도대체 생각이 안 난다. 그냥 제자리로 돌아가면 '아하! 그거 가지러 갔었지~' 그제야 생각이 나서 다시 돌아가 가져오는 일이 한두 번이 아니다. 일분일초가 아쉬울 정도로 바쁜 날은 참으로 나의 건망증이 원망스럽고 짜증 나는 일이다. 젊었을 때 어른들이 정신이 없다. 망령이 들었다고 하시던 말씀이 그때는 그분들만 그런 일이 있지 나도 그 뒤를 이어 갈 줄은 꿈에도 몰랐다. 평소 선배 형님들이 건망증. 건망증 하면 그냥 우스갯소리 하려고 하는 말씀 인가보다 하고 웃어 넘겼는데, 요즈음 내가 그 선배 형님들의 뒤를 쫓아 심각한 편이다. 어찌나 건망증이 심하던지 아침에 세수를 두 번 하는 날도 하다 하다 아침 일찍 세수하고 나와 돌아다니다가 내가 세수를 했는지 안 했는지 기억이 안 나서 다시 화장실에 들어가 세수를 하고 나오면 서서히 생각이 난다. "아하, 좀 전에 세수 했었지~" 하고는 혼자 픽 하고 웃는다. 또 어떤 날은 식사 후 칫솔질을 열심히 하고 나와서 한참 있다가 생각하면, 또 칫솔질한 생각이 안 나 다시 들어가 칫솔질하다 보면 또 생각이 나서 내가 왜 이러지? 하고 허망할 때가 많다.

그것뿐이랴. 중요한 전화 통화를 하면 수화기 놓자마자 다 잃어버린다. 그래서 꼭 부탁 말씀을 곁들인다 "저는요, 듣기만 하면 다 잊어버려요. 문자로 꼭 남겨 주세요. 죄송합니다." 그것뿐이 아니다 우리 집이 높은 언덕이라 차고는 한참 내려가야 한다. 급하게 한참을 내려가 차를 타려고 하면 차 키를 안 들고 와서 다시 식식거리고 숨을 허덕이며 집으로 올라가야 하니, 내 건망증 때문에 발등을 찍고 싶을 때가 한두 번이 아니다. 어떤 때는 남편이 핸드폰 놓고 갔다고 헐레벌떡 멀리까지 가져다주는 일도 있고, 중요한 물건을 놓고 와 바쁜 농사일 하다 말고 행사장까지 가져다 줄 때가 있으니, 이 놈의 건망증 때문에 남편도 고생이 이만저만이 아니다.

지난번에는 해미읍성 토요 장터를 운전하며 가다 보니 폰 가방이 눈에 안 보여서 '아차 또 놓고 왔구나. 그러니 이거 난감하네. 지금 다시 가지러 돌아가자면 시간이 너무 늦어버리고 어쩐담.' 생각해 보니 역시 떠오르는 건 남편 얼굴이다. 남편에게 전화해서 "나 핸드폰 가방 좀 가져다 주세요."하고 나서 돌아보니 핸드폰 가방은 내 어깨에 걸려 있었다 "참말로 이 한심한 나를 어쩐단 말인가?" 내 건망증은 종류를 가리지 않는다. 철마다 바꿔 입어야 하는 옷도 작년 이 계절에는 무엇을 입었었는지 생각이 안 나 입을 옷이 없다. 그러면 또 바쁜 시간 쪼개어 시장으로 달려가 새로 옷을 사 와 입고 다니다 보면 작년에 입었던 옷이 나타나 옷장이 완전 만차다. 또 고객님들에게 택배 보낼 때도 정신을 똑바로 차리지 않으면 모두 바꿔 보내는 바람에 고객님들이 교환신청이 들어오곤 해서 한없이 죄송하다.

또 귀한 아들 며느리가 온다고 하면 있는 것 없는 것 다 마련해서 맛난 음식이랑 농사지은 곡식 이것저것 준비해 놓고 가고 나면 깜빡하고 안 보낸 것이 절반이니 정신없는 내 머리를 툭툭 칠 때가 한두 번이 아니다. 이웃에서 날마다 눈만 뜨면 만나는 나보다 열 살 아래인 윤경 씨와 약속이라도 하면 다음 날 다 잊어버려 다시 물어보곤 하니 얼마나 성가실까 미안하기 그지없지만 나도 모르는 일이다.

어떤 때는 너무 심해 이게 치매 초기가 아닐까 치매 검사를 해봐야 하는 건 아닌가? 당장이라도 병원으로 달려가고 싶을 때가 많다. 그럴 때마다 '설마, 내가 벌써 치매는 아니겠지' 마음은 아직도 열아홉 밥맛도 꿀맛이고 근력도 태산이라도 무너뜨릴 기세와 컴퓨터 활용능력, 폰 활용능력, 계산기 활용능력, 인터넷 활용능력, 달력 보는 능력 등등 다 할 수 있지 않은가. 젊은 사람과 무엇이 다르랴, 기죽지 말고 살자 씩씩하게 살자. 젊은 마음으로 살자 다짐을 해 보지만 그런데 어쩌다 머리에 에러가 나기 시작하면 잠깐잠깐 기억이 왔다 갔다 하니, 나이는 못 속이는 칠십 노인이다. 언제 그렇게 나이를 주어 먹었을까. 아무리 생각해도 내가 칠십 노인이 되었다는 게 실감이 안난다. 나는 젊었을 때 노인을 보면 그분들은 태어날 때부터 노인으로 태어난 줄 알았다. 나는 절대 늙지 않을 줄만 알았다. 그리고 노인들이 한 말 또 하고 또 하면 왜 저러실까. 나는 절대로 늙으면 저러지 않을 거야 했는데 나에게도 닥치고 말았다. 내가 벌써 칠십 대가 되어 오늘 일을 깜빡하고, 잊어버린 말 또 하고 젊은 사람들 말이 이제 외국말인 듯 알아듣지도 못한다. 허리도 이제 몸을 지탱하는 능력이 떨어져 자꾸 구부러지고, 얼굴도 팽팽하던 모습은 어디로 가고 풍선 꺼지듯 쭈글쭈글 종이 구겨지듯 흉한 노인 모습이 되었다.

이제 자주 심해지는 이 건망증을 예사로 생각해서 안될 듯 싶다. 더 정신이 없어지기 전에 준비하라는 신호인 것 같아 이제 일도 줄이고 정리를 해야겠다. 되돌아보면 70년 세월 참 많은 나날 속에 별별 일이 많았고 한 일도 많고 성취감도 느껴 보았고 산전수전 다 겪으며 살아왔건만, 그저 하룻밤 꿈을 꾼 것 같고 한 편의 영화를 본 듯하다. 그동안 쌓아온 경력으로 멋진 인생을 펼치며 살아가야 할 나이지만, 몸은 따라주지 못하고, 그만 나이가 들고 몸은 다 상해 있어서, 더 일을 할 수가 없으니 "철 들자 망령난다" 그 말이 딱 맞는 소리다. 이렇게 서글픈 생각을 하고 있으면 남편 하는 말 " 걱정 마~ 당신은 다른 사람보다 훨씬 젊어 보여 우리는 건강하게 오래 살 거야." 믿거나 말거나 그래도 내 곁에 위로해 주는 든든한 남편이 있어 좋다.

그래도 100세 시대 몸과 마음을 건강하게 살고 싶은 게 나의 욕심. 아침마다 동네 한 바퀴 걷기 운동 열심히 하고 있으며, 즐거운 취미생활 하면서, 내가 정성 들여 가꾼 나의 정원과 꽃과 같은 나의 사랑하는 가족들과 나를 풍요롭게 해주는 이웃분들, 나를 지탱하게 해주는 친구들, 나를 건강하게 지켜주는 주위 자연환경과 함께 건강한 노후를 보내고 싶다. 치매가 찾아오지 않게 항상 생각을 놓지 말고 진취적이고 솔선수범하며 남에게 의지하지 않고 내가 노력하며 베푸는 마음으로 살아가려 최선을 다해 본다.

최영자는 할 수 있다. 아자! 아자!

그리운 시어머니께 드리는 편지

　어머니, 먼 하늘나라에서도 아들 며느리 잘살고 있는 모습 다 보고 계신지요? 늘 하나밖에 없는 아들 걱정으로 평생을 사신 우리 어머니. 어머니의 하늘 같은 사랑이 강물이 되고 큰 산이 되어 우리를 지켜주신 덕분입니다. 아버님 돌아가시고 혼자 어머님이 손수 장만 하셨다는 집 뒤 산밭에 올해는 단 호박을 심어 수확하면서 잠시 어머님 산소 앞에 앉아 허리를 펴면서 어머님 말씀을 떠올립니다. 어머니와 같이 밭에 풀을 뽑을 때마다 어머님은 제게 이렇게 부탁 같은 말씀을 하셨지요. "나는 앞이 훤히 바라다보이는 이곳에 묻어다오." 어머님 말씀 따라 뒷산 밭 앞이 탁 트인 곳에 어머님을 모시고 산소 앞에 예쁜 영산홍이랑 목단꽃을 심었지요. 그래서 어머님 산소 앞에 앉아 있으면 앞으로 간월호

넓은 호수가 보이고 멀리 있는 홍성 오서산이 선명히 보여 멀리 보여 속이 시원하지요. 앞산 뒷산이 병풍처럼 둘러쳐져 봄이면 진달래, 개나리가 만발하고 여름이면 초록이 싱그럽고 가을이면 울긋불긋 단풍으로 곱게 물들어 어머님도 보기 좋지요? 지금도 그때처럼 어머님이 옆에 계신 양 같이 앉아 바라보는 듯합니다.

"늘 나는 괜찮으니, 너희들이나 잘 먹거라 잘 입거라." 자식들의 앞날만 생각하시던 어머니 더러는 잊히면서도 보이지 않게 함께 있는 바람처럼 태양처럼 한없는 사랑으로 우리를 감싸 주시던 어머니. 사랑하는 아들 며느리 앞에서 고요히 눈을 감으시고 떠나신 어머님. 기쁨보다는 슬픔이 만남보다는 이별이 더 많으셨던 어머님. 그 큰 슬픔을 어디에 붙일 곳이 없어 애타시다가 부석사 부처님께 마음을 맡기시고 하나밖에 없는 외아들 걱정이 되실 때마다 불공을 드리러 가셨다는 어머님. 평소 살아계실 때 어머님은 집에서도 늘 염주를 목에 거시고 천수경과 나무아미타불을 외우시던 어머님. 버스를 타고 다니실 때도 부석사 앞을 지나실 때면 으레 염주를 굴리시면서 나무 아미를 찾으시던 어머님의 불심은 끝이 없었습니다.

절에 가는 날은 며칠 전부터 마음가짐을 단정히 하시고, 작은 미물이라도 살생을 금하고 식사도 고기 음식은 삼가시고, 언행을 조심하시고, 사람 만나는 것도 가리시면서 정성을 다하시던 어머

님을 보고 살았습니다. 시주를 장만하실 때도 먼저 농사지은 햅쌀 한 말 세 홉을 깨끗한 무명 자루에 담으셨다. 제일 좋은 과일과 미역을 보따리에 싸시고, 목욕하시고, 깨끗한 옷을 입으시고, 깨끗한 신발을 신으시고, 지극정성으로 불공을 드리러 가시는 모습을 보고 살았습니다. 부처님 뵈러 가실 때에는 이렇게 정성을 다해야 한다고 몸소 실천으로 가르쳐 주셨던 어머니.

마지막 가시던 그날 무거운 쌀자루 머리에 이고 힘들게 넘어 가시던 도비산 고갯길 그 길에 오색 무지개 선명히 떠 있던 그 모습 지금도 눈에 선합니다. 그 무지개는 분명 부처님이 어머님 가시는 길에 꽃 다리를 놓아준 듯하였습니다. 그동안 무지개는 으레 따뜻한 봄과 여름에 비가 온 후 동쪽과 서쪽에서만 떴는데 이렇게 추운 겨울 12월에 도비산 기슭에 무지개가 뜬다는 것은 예사로운 일이 아니었습니다. 그 무지개는 스님의 불공과 함께 어머님 봉분을 마치고 나자마자 맑은 하늘이던 하늘이 갑자기 흐려지더니 빗방울이 몇 개 던진 후 오색 무지개가 떴습니다. 어머님 무지개였습니다. 제일 먼저 발견한 내가 "저것 보세요! 우리 어머님 무지개가 떴습니다." 하고 힘껏 외쳤습니다. 장사를 지내고 마무리하던 동네 사람들과 문중 사람들이 깜짝 놀라 내가 가리키는 곳을 바라다보았습니다. "정말이네, 참 신기한 일도 다 있구면. 좋으신 분이 돌아가시니 무지개가 다 뜨네!" 그래서 나는 이 세상에 헛된 것은 없다는 걸 알았습니다. 어머님의 지극정성이 부처님께 닿았다는 것이 증명되었습니다.

항상 자비로우셨던 우리 어머님 한없는 사랑으로 모든 사람을 감싸 안으시고, 인자하시게 미소 짓던 그 모습 지금도 생생히 떠오릅니다. 항상 나를 집안을 이끌어나 갈 중요한 사람이라는걸 알려 주셨던 어머님의 가르침을 받아 어머님을 닮으려 노력하고 있습니다. 어머님과 같이 산 날이 30년 세월, 23살 어린 며느리를 데려다 놓고 마음에 차지 않으셨던 일이 많으셨을 텐데. 묵묵히 기다려 주신 어머님 너그러운 마음 일찍 알아차리지 못해 정말 죄송합니다. 지금 생각하니 철부지였던 이 며느리가 얼마나 어머님 속을 썩혀 드렸을까? 저 어린 며느리를 어찌 사람을 만들어야 하나 얼마나 걱정하셨을지 일찍 헤아려 드리지 못한 것이 무척 한이 됩니다. 농사짓기 힘들다고 늘 불만 섞인 말투로 어머님 마음을 상하게 해드린 것이 무척 후회됩니다. 이제야 철이 들어 어머님께 한없이 용서를 빌지만, 지금은 안 계시니 소용이 없습니다. 어머님은 철부지였던 이 며느리가 좋은 사람과 (만나는) 것을 무척 좋아하셨지요. 어머님은 누구보다도 현명하셔서 이론보다는 체험으로 저를 가르쳐 주셨던 것 같습니다. 어머님 지금 생각하니 어머님의 가르침으로 이만큼 사람이 된 것 같아 감사합니다.

여름 창문을 열고 밤하늘을 바라보고 있노라면 쏟아질 듯 수많은 별 중에 어머님별인 양 미소 지으며, 나를 보고 "애비 밥은 잘 먹냐? 애비 아픈 데는 없지? 우리 큰손자는 잘 있냐? 작은손자는 멀리 미국 땅에서 잘 있다니?" 하고 말씀하시는 듯합니다. 사랑하는 아들이 손주까지 보았다고 좋아하시는 듯 어머님 별이 웃는 듯이 반짝거립니다. 비록 어머님은 우리 곁을 떠나셨지만 늘 우리 곁을 맴돌며 바람처럼 해처럼 저와 함께 살고 계십니다. 삼시세끼 밥할 때나 사계절 농사일할 때나 한 걸음 한 걸음 발자국

내디딜 때나 작은 풀 한 포기 뽑을 때마다, 작은 휴지 한 조각 버릴 때마다, 작은 곡식 한 알 떨어트렸을 때마다, 간장 푸러 갔을 때도, 된장 푸러 갔을 때도, 장독대에는 어머님 손때 묻은 장독들이 그냥 그대로 어머님인 양 서 있습니다.

우리 집 장독대에는 유난히 잘생긴 영화배우처럼 키가 크고 미끈한 간장독이 있습니다. 아버님이 어머님 맘에 드는 것으로 고르시느라, 먼 20리길 (산고개고개) 넘어 서산시장까지 가서, 사서 지게에 지고 산등성이를 넘어오신 사랑 듬뿍 담긴 간장독이라고 나에게 말씀하셨습니다. "저 장독처럼 멋진 장독은 못 보았다" 하시며 장독대를 바라보실 때마다 행복해하시던 모습 잊을 수가 없습니다. 어머님이 쓰시던 간장독에 간장을 담으면 어찌나 맛이 좋은지 (미역국에 넣어도 온갖 무침에 넣어도 쓰지 않고 감칠맛 나는 게 조미료가 필요 없어 어머님이 사랑하는 아들 손자 증손자까지 맛있다고 잘도 먹습니다). 그리고 어머님이 쓰시던 고추장 단지도 아직도 잘 있습니다. 어머님이 사랑하던 고추장 단지는 수박처럼 둥글고, 겉이 참기름 발라놓은 듯 반들반들해서 고추장을 담으면 고추장 맛이 한결 더 맛있습니다. 올해도 보리쌀 고추장을 담아 가득 채워 놓았답니다. 언제든지 어머님의 손맛이 그립다는 어머님 자손들이 오면 아낌없이 퍼 주려구요. 맛있는 고추장을 담아 먹을 수 있게 예쁜 단지를 물려주신 어머님 마음 고추장 뜨러 갈 때마다 어머님 사랑을 듬뿍 받고 오는 듯합니다.

그리고 어머님이 아끼시던 된장 항아리도 아직도 맛있는 된장이 담겨 있습니다. 보기는 거칠거칠 못생겨 보여도 숨 쉬는 항아리인가 봅니다. 된장을 담으면 어찌나 노오랗게 잘 익는지 한 수저 떠서 된장 끓이는 날이면 맛있는 된장찌개 냄새가 온누리에 퍼져 어머님 향기를 맡는 듯합니다. 어머님이 물려 주신 된장 항아리에 담아 잘 익은 맛있는 된장이 저 멀리 태평양 건너 미국 땅 하고도 텍사스에서 사는 어머님 작은 손주네도 먹고 있답니다. 미국에서 태어난 어머님 증손주도 된장국을 무척 잘 먹는다네요.

어머님은 늘 가을이면 농사지은 노오란 메주콩으로 메주를 쑤어 처마 밑에 매달아 놓았다가, 정월달에 메주를 떼어 방에서 이불을 덮어 띄워 장을 담으신 어머님 손맛 이어받아 지금도 우리 장맛이 최고입니다. "된장이 무엇이 중하다고 저리도 고생을 하실까?" 이해를 못 하고 심부름도 살갑게 못 해 드린 것 같아 후회스럽습니다. 이제야 철이 들어 어머님이 왜 그리도 된장에 정성을 들이셨는지 된장이 얼마나 중한가를 깨달았습니다.

어머님이 쓰시던 주옥같은 살림살이 잘 간직하고 살다가 대대로 물려 백 년 전통의 가문이 되고 싶습니다. 근검절약하실 때는 엄격하시고, 나눔에는 넉넉하셨던 어머님 몸소 실천으로 보여주셨습니다. 어머님의 가르침은 어렸을 적 초등학교 선생님의 교훈처럼 가슴에 박혀 한 올 한 올 실타래 풀리듯이 풀려나와 삶에 지표가 되고 있습니다. 어머님은 철부지 며느리인 내게 낭비하지 않기 곡식을 소중히 알기 농토를 소중히 가꾸기를 항상 몸소 실천하시며 내게 꼭꼭 심어 주셨습니다. 살림을 가르쳐주실 때마다 불편하게만 생각했던 내가 은연중에 배워 내가 어머님과 똑같이 하고 있다는 것을 어머님이 돌아가신 후에 알았습니다. 며느리 힘들까 봐 "그냥 남은 반찬 놓고 먹자~" 어머님 입맛에 맞지 않으실 때가 많으셨을텐 데도, 투정 한번 안 하시고 아들과 같이 묵묵히 드시던 어머님 마음이 저 바다 만큼이나 넓어 보여 저도 어머님을 닮아가기를 원했답니다.

그 옛날 어머님은 농토가 없어 밥이 귀한 이웃이 있으면 꼭 밥을 나누어 드시고, 내가 시집을 왔을 때도 술이나 음식이 있으면 지나가는 사람에게도 "여보게, 잠깐 들어와서 술 한잔 하고 가시게. 밥 한 그릇 먹고 가게." 하시는 모습을 자주 보고 살았었지요. 평소 근검절약이 투철하셨던 어머님은 술이 목마른 사람에게 술도 잘 주시고, 배가 고픈 이웃들에게 밥도 잘 주시고 헐벗은 이웃들에게 옷도 나누어 주셨습니다. 그때는 그냥 '그렇게 남 주기 좋아하시는 분이구나' 예사로 생각했는데 지금 생각하니 어머님 마음이 곧 부처님 마음이었습니다.

땅 한 평 한 평 장만하실 때도 아버님은 농사를 지으시고 어머님은 길쌈 솜씨가 좋으셔서 길쌈을 해 판 돈을 모아 땅을 장만하셨다고 합니다. 우리 집은 문전옥답이 집 주위를 감싸고 있어서 마당에서 앞을 내다보면 우리 논들이 모여있어 한눈에 보이고 밭들도 집 주변에 있어 곡식들이 자라는 모습을 한눈에 볼 수 있습니다. 처음에 시집을 와서는 그 기름진 옥답이 저절로 생긴 줄 알았습니다. 그저 일하는 게 힘들어 땅의 귀함을 모르고 알려고도 하지 않으니, 어머님이 얼마나 속상하셨을까? 생각하면 정말 불효를 한 것 같아 마음이 아픕니다. 어머님이 아프실 때도 약도 못 사 드시고, 시장에 가서 맛있는 음식을 보아도 안 사드시고, 좋은 옷 한 벌 못 사 입으시고, 절약하시고 또 절약하시고, 자식들 풍족하게 먹여주셨습니다. 좋은 땅 물려주려고 힘든 길쌈하시고 농사를 지어 허름한 땅 사고팔고 웃돈을 주고 가뭄 안타는 고라실 논을 사고 집 앞에 논밭이 나오면 또 웃돈을 주고 또 사시고 해서 장만하신 문전옥답이라고 하셨습니다.

그래도 집 앞 버스길 나야 한다고 우리 집에서 제일 큰 밭 두 두둑을 기꺼이 희사하신 멋진 우리 어머님이십니다. 남들은 아까운 땅 못 내놓겠다고 길바닥에 누워 공사를 못 하게 하는 등 온갖 시위를 다 해도, 우리 어머님은 현명하셔서 장래 후손들이 잘 살려면 버스가 들어와야 한다며 땅을 내주셨습니다. 어머님은 살점을 떼어내는 아픔을 느끼셨으련만 내색 한번 안 하셨던 어머님 어머님은 돌아가실 병이 나셨는데도 병원 가기를 거절하셨습니다. 늙으면 다 가는 법인데 의사인들 어찌하겠느냐 소용없는 일이다 하고 죽음을 받아들이시던 어머님 부처님 마음이었습니다.

어머님은 늙으셔서 쇠약해지셨을 때 보약도 거절하셨습니다. "애야 고목 나무에 비료 준다고 새잎이 나오겠냐? 다 소용없는 일이다. 너희들이나 먹고 건강해라~" 어머님은 부처님 마음이었습니다. 어머님은 검소한 옷차림으로 내면이 더 멋있으셨지요. 막내 따님이 비싼 옷을 사 오면 나는 늙어서 새 옷을 입어 뭐하니 다 소용없다고 하셨습니다. "쓸데없는데 돈 쓰지 말고 젊은 너희들이나 잘 입고 다녀라." 어머님은 부처님 마음이었습니다.

나를 처음 맞선보려고 아드님과 같이 먼 곳 시내로 오셨던 그날 어머님의 인자하신 미소 담긴 얼굴을 잊을 수가 없습니다. 난 생처음 보는 맞선자리라 그런지 한쪽 마음은 서먹하고 낯설고 불편했는데, 한쪽 마음으로 어머님을 바라보니 측은지심이 샘솟아 내 마음이 왠지 저분의 며느리가 되어야겠다는 생각이 자석처럼 끌리는 것이었습니다. 지금 생각하니 그 또한 부처님의 뜻이었던 같습니다. 그렇지 않고는 마음으로는 '아니야, 아니야?' 하면서도 인자하신 어머님의 얼굴을 뵈면 나도 모르게 자석처럼 자연스럽게 끌려가는 느낌이었습니다.

그렇게 어머님의 며느리가 되고 낯선 집으로 시집을 왔을 때 농사를 지어 보지 않아 아무것도 모르는 며느리를 가르치시고, 식구 만드느라 얼마나 답답하시고 마음 상하실 때가 많으셨을까? 지금 생각하니 정말 죄송한 것이 한둘이 아니라 죄송한 마음 몸둘 바를 모를 지경입니다. 제가 실수를 해도 인자하신 미소로 웃어주시던 어머님 너무 감사하고 고마웠습니다.

그런 어머님을 볼 때마다 나는 한가지씩 배워갔습니다 '그렇구나. 나도 어머님처럼 남의 실수를 덮어주는 사람이 되어야겠다. 나도 며느리 얻으면 어머님처럼 해야겠다.'고 다짐했습니다. 어머님은 제게 그렇게 바른 며느리가 될 수 있도록 한 가지 한 가지 짚어 가면서 가르쳐주신 선생님 같은 시어머님이십니다.

평소 말씀보다는 사랑으로 또래 연세의 어머님들보다 생각이 한발 앞서 나가시고 항상 리더가 되어 가르침을 주신 어머님 존경합니다. 들판에 잡초처럼 아무것도 모르고 자란 철부지 며느리건만 어머님은 한 번도 꾸중하시지 않으시고, 저의 실수를 항상 너그러이 감싸주셨지요. 어머님이 어려워 말씀은 안 드렸지만 무척 감사하고 고마웠습니다. 그럴 때마다 더 잘해야겠다고 다짐하고 살았습니다. 그런 저의 마음 어머님도 알고 계셨겠지요. 지금 생각하니 어머님이랑 이런저런 얘기 허심탄회하게 많이 못하고 살았는지 한이 되어, 이렇게 편지로 어머님께 글을 써봅니다.

어머니의 그 아픔 속에서도 남은 자식들을 바르게 훌륭히 키워내시고 당신의 모든 소중한 것들을 부족함이 많은 며느리에게 선뜻 물려 주신 어머님 감사하단 말씀을 한마디 못 드린 못난 며느리를 용서해 주세요. 그런 소중한 어머님이 돌아가실 병이 난 걸 아시고 머리맡에 앉아 있는 내게 말해주신 어머님의 살아온 인생 이야기 나는 돌아가실 때에서야 듣고 알았습니다. 어머님은 농촌 마을 가난하고 식구가 많은 집 셋째 며느리로 시집을 오셨다고 합니다. 시부모님도 안 계시고 위로 큰동서 둘 계시고, 셋째 며느리로 시집을 오셔서 시어머니 시집살이가 아니고 큰동서 시집살이를 하셨다고 합니다. 그래도 우리 어머님은 모든 일을 현명하게 잘하셔서 이쁨을 받았다고 합니다. 그렇게 시집살이를 9년을 하시고 수저 두 컬레만 가지고 분가하셔서, 아버님은 농사를 지으시고 어머님은 솜씨가 좋아 길쌈을 해 팔아 농토를 장만하시고 부자가 되셨는데, 아들을 낳으실 때마다 키우지 못하시고 잃으시는 뼈아픈 슬픈 일을 몇 번이나 당하셨다고 하셨습니다.

그 시절에는 아들을 못 두면 큰일 나는 시대여서 아들이 없으면 막대기라도 꽂아놓고 아들이라고 해야 했던 시절에, 어머님은 아들을 못 둘까 봐 무척이나 더 걱정하셨다고 합니다. 그래서 우리 시어머님은 좋은 음식 좋은 옷은 모두 아들만 챙기시는 아들 바보로 따님들이 무척이나 서운해하셨을 텐데, 어머님을 닮아서 우리 시누이님들도 모두 이해를 잘하시고, 동생 오빠가 잘되기를 학수고대하며 사시고 계십니다. 어머님은 그때 속앓이 병이 생기고 위장병이 생겨 식사를 못하셔서 몸이 약해지셨다고 합니다. 그런 아픔을 겪은 후라서 예쁜 손자를 낳아도 마음 놓고 예뻐하지를 못하셨고, 좋은 일이 생겨도 마음 놓고 좋아하지 못하셨다고 합니다. 큰집 작은집 앞집 뒷집 이웃들은 아기들을 낳아 잘도 기르는데 어머님만 혼자 그런 일을 당하셨으니 그 얼마나 힘드셨을까? 하나밖에 없는 이 며느리는 어머님 마음도 모르고 말씀이 없으신 어머님이 무척 어렵게만 느껴졌습니다. 어머님 곁에 가까이 가는 걸 꺼리고, 따뜻하게 헤아려 드리지 못한 것이 너무 죄송하기만 합니다. 그렇게 어렵사리 얻은 눈에 넣어도 안 아플 외 아드님 힘든 농사일 하지 말고, 공부 많이 해서 멋진 아들 되라고 서울로 학교를 보내는 등, 온 식구를 동원해서 아들 뒷바라지에 총력을 다하셨다고 합니다. 그런 귀한 아들을 부족함이 많은 며느리에게 맡기시고 마음에 안 차셨을 텐데 늘 이해해 주시고 감싸주셨던 어머님 감사함을 잊지 않겠습니다.

어머님, 이 철없는 며느리는 어머님이 안 계신 지금에야 어머님 마음을 알아가고 있네요. 어머님이 살아계실 때 베풀어 주신 은혜 사랑 새록새록 떠올리며 살림하는데 실천하고 있습니다. 어머님 이제 모든 걱정 염려 내려놓으시고 천국에서 편히 쉬세요. 훌륭하신 어머님을 닮아 어머님 손자들이 훌륭한 일을 많이 하고 잘살고 있으며, 증손자들이 똑똑하고 바르게 잘 자라고 있습니다. 마음의 갈등이 생길 때마다 어머님의 가르침을 하나씩 하나씩 떠올립니다.

어머님 며느리 된 것을 자랑스럽게 생각합니다.

어머님 감사합니다.

어머님을 그리워하며 며느리 씀.

나는 울보가 되었다

  사랑하는 우리 막내아들은 먼 미국 텍사스에 살고 있다. 우리 막내아들은 세계에서 제일가는 게임 프로그래머로 인정받아 세계 최고 회사 애플에 입사해서 근무하고 있다. 그렇지만 나는 오늘도 우리 막내아들 보고 싶어 베갯잇이 다 젖도록 눈물이 흐른다

  우리 막내아들 서울에 있을 때 자주 가서 손이라도 많이 만져 볼걸. 내가 왜 그랬을까 내가 친엄마 맞기는 한 걸까? 보고 싶고 그리울 때는 별의별 생각이 다 머리를 스쳐 간다.

  이런저런 후회와 회한이 밀려오고 두 눈에서 뜨거운 눈물이 주체할 수 없이 흘러내린다. 어릴 때 맛있는 음식도 잘해 주지 못했는데 좋은 옷도 못 사입히고 키웠는데 좋은 운동화 한 켤레 못 사준 게 마음에 걸려 가슴 한 귀퉁이가 먹먹해진다.

막내아들은 어릴 때부터 부모님 마음 쓰지 않게 무럭무럭 잘 자라 주었고 아무 말썽 없이 씩씩하게 잘 자라 주었으며, 위로 형하고도 잘 지내고 사이좋게 잘 놀았다. 학교생활도 무난히 잘하고 공부도 잘해서 남들이 부러워하는 반장 엄마도 해 보았다. 나는 막내아들 덕분에 공부를 잘해 일등 하는 엄마도 되어 보았고 내가 어릴 적 초등학교 시절에 반장 엄마가 예쁜 꽃 화분을 사다 선생님 책상에 놓는 것을 보고 무척 부러워했었는데, 내가 반장 엄마가 되어 예쁜 꽃 화분을 사다 선생님 책상에 놓게 되었으니 우리 막내아들이 내 소원을 풀어주었던 효자이기도 하다. 그렇게 우리 막내아들은 어릴 때부터 공부를 잘하더니 중학교 때까지만 엄마 곁에 있다가 고등학교 입학하면서부터 먼 학교로 간 후 떨어지기 시작했다.

대학교도 서울로 가서 기쁘기는 무척 기뻤는데 시골에서 농사를 짓고 어른을 모시고 살다 보니, 삼시세끼 밥 때문에 못 떠나고 밤낮없이 자라는 풀 뽑느라 정신없고, 때를 놓치면 안 되는 농사를 하느라 못 떠나고, 항상 객지에서 공부하는 막내아들이 생각났지만 자주 가볼 수가 없었다. 얼마나 집이 그리웠을까 얼마나 엄마 집밥이 먹고 싶었을까마는 참을성 많은 우리 막내아들은 이런 저런 불평 한마디 없이 꿋꿋하게 객지 생활을 이겨내고 견뎠던 장하고 고마운 아들이다. 그때는 간척지 논을 사느라 빚더미 속에

살던 때라 용돈도 많이 못 주었는데 어찌 살았는지 지금 생각하
니 미안하고 안쓰러워서 또 눈물이 난다.

그럴 때마다 나는 엄마도 아니야, 나는 바보야, 내가 낳은 자
식도 뒷바라지도 잘 못하고 일만 하고 살았으니 나는 바보야. 정
말 후회스러워 또 눈물이 난다.

또 나는 막내아들을 힘들게 했던 일이 있다. 미국 간다고 다니
던 회사에 사표를 내고 집으로 잠깐 쉬러 왔을 때, 한참 모내기하
던 때라 미국 갈 준비에 바쁜 아들을 불러내어 모내기 하는 아버
지를 도와드리라고 채근했었다. 낯설고 물설고 언어도 통하지 않
는 머나먼 미국 땅으로 가는 마음이 얼마나 무거웠을까? 이 무식
한 엄마는 그것도 모르고 방에 들어앉은 아들이 놀고 있는 줄 알
고 일터로 자꾸 불러냈으니 불평 한마디 없이 엄마 말을 따른 우
리 막내아들 고맙고 미안하다.

미국 간다고 엄마랑 며칠 함께 있다 가려는 황금 같은 귀한
시간을 좀 더 아들하고 같이 있을 걸. 그 놈의 급한 농사일 때문
에 같이 시간을 보내지 못한 것이 얼마나 후회스러운지 모른다.
그때는 이렇게 오랜 이별이 될 줄, 이렇게 오래 못 보게 될 줄
꿈에도 몰랐다.

미국으로 가기 위해 공항으로 가던 날도 아무 생각 없이 서산

버스터미널까지 데려다주고 "잘 가거라" 한마디 남기고 보냈다. 서울에 보내는 것으로 착각했다. 지금 생각하니 그게 긴 이별의 시작이었다. 처음에는 조금 있다 오겠지 하고 보고 싶은 생각이 별로 들지 않았다. 그런데 점점 날이 가고, 해가 가고, 몇 년이 흘러도 우리 막내아들은 오지 못했다. 코로나로 전 세계가 문이 닫혔으니 우리 아들이 오고 싶어도 못 오는 것이었다. 언젠가부터 내 눈에서는 눈물이 나기 시작했다. 보고 싶을 때 만나고 싶을 때 마음대로 만나고 보고 살아야 하는데, 몇 년을 못 보게 되니 나의 천륜이 발동 나도 모르게 눈물이 난다. 운전하다가도 신호에 걸려 잠시 멈추었을 때도 아들이 보고 싶어 눈물이 나고, 아들만 한 또래 청년들을 보아도 눈물이 나고, 눈코 뜰 새 없이 바쁘다가 잠시 멈추면 또 나도 모르게 눈물이 나니 성가시기까지 할 정도다. 사람을 만나러 갈 때도 움뚝 생각이 나면 눈물이 주르르 흐르기 시작하면 눈이 퉁퉁 붓도록 울어서, 눈을 뜰 수가 없어 고개를 못들 때가 많았다.

이웃집 언니들에게 이야기를 하면 "자네는 호강스럽기도 하다. 못살지도 않고 미국에서 잘살고 있는 아들이 무얼 그리도 보고 싶어 눈물까지 흘리느냐, 남들은 가고 싶어도 못 가는데 너무 좋으면 좋다고 해라." 하면서 꾸중 겸 놀려 댄다. 하긴 내가 행복한 고민이자 호강에 겨워 흘리는 눈물일지도 모른다. 우리 막내아들은 정말 대견하고 자랑스럽다. 이 오지 같은 시골에서 태어났어도 서울에 있는 대학을 특기 장학생으로 갔으며, 군대도 게임 회사에서 병역특례로 근무하다가 제대했고, 또 참하고 이쁜 색시를 만나 같이 미국 큰 나라에 가서 맞벌이도 하고 있으니 무엇하나 나무랄 데도 없고 부족함이 없다.

우리 막내며느리도 서울 유명한 미술 대학에서 공부를 해 아들과 같은 게임 회사에서 인정받고 일하고 있다. 예쁘고 똑똑한 아들도 낳아 잘 길러서 지금 유치원에 다닌다. 그리고 미국에 있는 세계에서 제일인 애플에 취직했으며, 커다란 저택에서 살고 있고, 또 부동산으로 집 한 채가 또 있단다. 남부럽지 않게 살고 있다. 어릴 때는 공부를 잘해 엄마를 기쁘게 해 주더니 내내 엄마를 기쁘게 해주는 나의 금쪽이다. 그런 나의 금쪽이 막내아들이 멀리서 살고 있으니, 나의 눈에서 나도 모르게 눈물이 난다. 나도 모른다.

세상이 좋아져 전화도 자주 할 수 있고 화상통화도 가능하다. 그러나 직접 만나보는 것만 하랴. 도무지 하고 싶은 말도 많은 것 같고 내 손으로 밥 한 끼 해 주고 싶고, 떡도 해주고 싶고, 같이 맛난 음식 먹으러 가고 싶고 도대체 답답하고 안타까운 일이다.

그렇게 안타까운 날을 보내던 중 좀처럼 풀리지 않을 것 같던 코로나가 잠잠해지고, 세계적으로 입국허가가 나자마자 꿈에 그리던 우리 막내아들네 식구가 회사에서 한국으로 출장이 나서 온다고 연락이 왔다. 너무도 반가웠다. 우리 막내아들네 식구가 오면 아무 일 없는 것처럼 함께 즐거운 시간 알차게 보내고 후회 없이 하리라. 나름 손자가 좋아하는 음식도 만들어 놓고, 손자의 눈높이에 맞추어 가볼 곳도 알아보고, 하루 일과 시간표도 짜보며, 얼굴 본 지가 몇 삼 년이 되어 아른거리는 우리 막내아들 며느리 만나면 꼭 안아주어야지. 아기 첫돌 때 한번 보고 못 본 우리 사랑스러운 손자 얼마나 컸을까 할 것이다. 할머니 할아버지 만나면 낯설다고 울지나 않을까, 손잡으면 뿌리치지나 않을까, 밤이면 이런저런 생각으로 설레는 나날을 보냈다.

드디어 한국에 아들네 식구가 도착하였고 며칠 간은 회사 일로 처가댁에서 지내다 온단다. 그래도 우리 막내아들이 서울 하늘 아래 가까이에 있다고 하니 안도감이 들었다. 드디어 회사 일을 마치고 집으로 오는 날 남편과 함께 승용차를 가지고 서산 터미널로 아들네 식구를 마중 갔다. 서울행 버스가 한 대 들어오더니 드디어 우리 막내아들, 며느리, 손자가 나란히 내리는 것이었다. 이게 얼마 만인가? 나는 왈칵 눈물부터 났다. "내 새끼들 왔구나.

사랑하는 내 자식들~"

　우리 손자도 6살로 많이 커서 울보 할머니의 품에 안겨주었다. 우리 막내아들네 식구를 태우고 집으로 오면서, 이 이야기 저이야기를 나누며 오다가 마트에 잠깐 볼일이 있어 내렸다. 그런데 생각지도 않은 손자가 내리더니 내 품에 폭 안기면서 "나는 할머니가 좋아요. 할머니가 나를 그렇게 생각해 주셔서 너무 좋아요." 라고 말하면서 내 손을 꼭 잡고 마트로 가는 것이었다. 미국에서 살면서 할머니 할아버지 얼굴도 모르고 자랐을 것만 핏줄이 당기는지, 처음 보았어도 잘 따르니 틀림없는 내 손자다. 너무나 기가 막혀 뜨거운 눈물이 볼을 타고 흐른다. 혈육은 아무리 멀리 태평양 바다가 가로막아도 막을 수 없는가 보다. 우리 손자와 손을 잡고 마트에서 장을 보니 너무도 행복하다. 나도 이런 날이 있네, 마냥 그리워만 하던 손자의 손을 잡고 장을 보다니 꿈만 같았다. 구김살이 없이 잘 자란 우리 손자는 맘에 드는 장난감도 고르고, 맛있는 고기도 골랐다. 무엇이 아까우랴! 손자가 사자는 대로 장바구니에 가득 담아 장보기를 마치고, 차를 타고 집으로 와서 맛있는 고기와 밥을 같이 먹으니 도무지 꿈만 같았다. 너무도 보고 싶었던 내 새끼들 좋아해야 하는데, 실감이 나질 않아서인가 자꾸 눈물이 나서 아들 며느리 볼까 봐 몰래 눈물을 머금고 훔쳐냈다.

아무래도 내가 자식 사랑에 굶주렸나 보다. 어릴 때 멀리 학교 보내고부터 헤어졌으니 다정한 말 한번 해 본 일이 없고, 같이 오순도순 이야기해 본 적이 없었다. 저녁 식사를 마친 후 거실에서 우리 부부는 아들 며느리 손자와 달리기도 하고, 본격적으로 손자와 놀아주기로 했다. 우리 손자는 구김살 없이 엄마 아빠 밑에서 잘 자라 놀기도 잘 놀았다. 밤이 깊도록 놀다가 잠잘 시간이 되어 각자 자기들 방으로 들어가고, 우리 부부는 손자를 품에 안고 자고 싶어도 낯설어할까 봐, 제 엄마랑 편히 자라고 하고는 자려는데, 이쁜 손자가 할머니 할아버지 심심할까 봐 왔다고 베개를 들고 쏘옥 들어오는 것이었다. 정말 기특하고 예쁜 우리 손자 "어서 오너라. 어이구 이쁜 내 새끼. 할머니랑 할아버지하고 자려고 왔어, 어이구 기특해라." 누가 시키지도 않았는데 어찌 이리 착하단 말인가. 어른 마음도 헤아릴 줄 알고, 공경할 줄도 알고, 도무지 아이 같지 않다.

이 세상에 우리 손자가 제일 똑똑한 것 같았다. 우리 부부는 손자를 사이에 뉘고 어릴 적 배운 동요도 불러주고 이야기도 해 주니 "할머니 힘들게 노래까지 불러주시느라 애쓰시지 마세요. 저 괜찮아요." 하는 것이었다. 도대체 다섯 살짜리가 어찌 이리 소견이 멀쩡한지 신기하기만 하였다. 우리 남편은 우리 손자 똑똑하다고 어찌나 좋아하는지 이것이 행복이란다. 이렇게 이쁜 손자가 사흘 되면 또 미국으로 가고 언제 만날지 기약 없이 떠날 생각을 하니 웃다가도 또 눈물이 나온다. 그렇게 하룻밤을 보내고 다음 날은 간월도 바닷가 안면도 바닷가를 다니며, 곰섬 공룡도 보러 가고 창리 버드랜드에 가서 움직이는 영화도 보고, 아이들이 좋아하는 곳으로 다니며 손자와 데이트를 했다. 하필이면 추운 겨울에 와서 날씨가 춥고 눈이 오는 바람에 괜히 손자 고생만 시키는 것 같아 안쓰럽기도 했다. 이렇게 막내아들과 손자를 데리고 추억을 쌓다 보니 벌써 떠날 날이 닥쳐오고 말았다 우리 막내아들과 손자를 버스터미널에 데려다주고, 버스 타는 것을 보고 헤어지기 아쉬워 바라보고 있으니, 남편이 나를 낚아채듯 이끌고 터미널을 나오는 것이었다.

이제 또 멀리 보냈다. 서운한 마음을 달래며 집으로 돌아오니 북적이던 막내아들네 식구가 떠난 자리 텅 비었고, 손자 웃음소리 아들 목소리가 이 구석 저 구석에서 들리는 듯 허전하기 한이 없었다. 꼭 꿈을 꾼 것만 같아 실감 나지 않는데, 며칠 뒤 아들이 화상전화가 왔다. 우리 손자가 할아버지 할머니 보고 싶다고 자다가 깨어 울어 화상전화 했단다.

우리 손자는 울먹이며 할머니 보고 싶다고, 할아버지 보고 싶다고 주먹으로 눈물을 닦으며 말을 하는 것이었다. 정말 눈물 없이는 못 보는 영화의 한 장면이었다. 남편도 울고 나도 울고 혈육이 무엇이길래 이다지도 가슴이 미어지는지. 얼른 가서 안아줄 수 없는 게 너무도 안타까운 일이었다. "울지 말고 엄마 아빠 말 잘 듣고 밥 많이 먹고 잘 있다가, 비행기 타고 또 할아버지네 오거라. 장난감 많이 사줄게." 하고 달래고 전화를 끊었다. 우리 똑똑한 손자 때문에 가슴이 먹먹하도록 울었다.

이젠 울지 말아야지 우리 막내아들은 잘살고 있는데 내가 철부지처럼 울어서 아들 마음 아프게 하면 안 되지. 굳게 마음먹고 오직 아들 행복만을 빌어주자. 우리 막내아들 사랑한다~

나와 인연이 되었던 사람들

　나의 인생 도화지에 아름다운 그림을 그리게 해준 나와 인연이 되어준 분들. 그 고마운 인연들이 내겐 많이 있기에 잊을 수가 없다. 사람은 인생살이에서 사람을 잘 만나는 게 큰 복이라고 어른들이 말씀하셨듯이 나는 태어날 때부터 나와 인연이 되었던 분들이 모두 좋은 분들이셨기에 지금 내가 있다고 생각하고 늘 감사함을 갖고 살고 있다. 첫 번째로 성실하시고 정직하신 부모님을 만나 배고픔 없이 잘 살아왔으며, 형제들도 남부럽지 않게 7남매 많은 형제이지만 사이좋게 다툼없이 의좋게 살아왔다고 생각한다.

　나는 참 다행스럽게도 복 받은 인생 인연 복을 타고난 게 아닌가 싶다. 생각해 보니 내가 이만큼 무탈하게 살아온 것이 나 혼

자의 힘이 아니었음을 알
수 있다.

어릴 적엔 이웃에서 같
이 태어나서 같이 자라고,
같이 학교에 다닌 나한테는
잊을 수 없는 소꿉친구 동
갑내기 단짝 친구가 있다.
지금은 나와 멀리서 살고
있지만, 어릴 적엔 잠만 따
로 자고 하루 종일 같이 뛰

어논 항상 그립고 보고 싶은 친구 "안인자!" 그 친구와 나는 나
이도 동갑 이름도 비슷하게 지었고, 항상 한 반 한 분단에서 공부
했다. 혹여나 반이 바뀌어 헤어지게 되면 그 친구 할머니는 학교
에 찾아와 담임선생님께 "우리 인자는 꼭 영자와 같은 반에서 공
부하게 해주세요." 하고 부탁하고 가셨다. 그러면 다음 날 선생님
이 내 친구 손을 잡고 와 내 옆에 앉혀 놓으셨다.

우리는 떨어질 수 없는 인연이었던 것 같다. 우리 친구와 나는
아침 학교 갈 때도 혼자 먼저 가는 법이 없었다. "학교 가자~"
서로 먼저 아침밥을 먹은 사람이 찾아와 부른다. 혹여 아침밥이
늦으면 꼭 옆에 지켜 앉아 있다가 다 먹고 나면 같이 갔다. 정말

잊을 수 없는 친구 내게 보석 같은 영화의 한 장면 같은 친구이다. 그렇게 헤어져서는 못 살 것 같던 친구도 세월이 흘러 노년기를 맞이하였고, 바쁘다 보니 소식도 잘 전하지 못하고 산다.

내 인연 중에 인연 초등학교 담임선생님 잘 만난 복으로 산다. 음암초등학교 6학년 4반을 담임하셨던 유진환 선생님을 잊을 수가 없다. 엄하실 때는 호랑이 선생님으로 유명하셨는데 자상하실 때는 아버지 같은 선생님이셨다 학생들 머리에 쏙쏙 잘 들어갈 수 있게 중요한 사항은 동요 가사로 만들어 외우게 해 주시고, 어려운 낱말은 말이 잘 돌아갈 수 있게 쉬운 말로 편집해 외우도록 가르쳐주신 덕에 흥미롭게 공부를 잘할 수 있어서, 지금까지 감사함을 느끼며 살고 있다. 또 나의 귀한 인연 중에 남편과 시댁 식구들도 잘 만나서 어려움 없이 잘 살아왔다. 남들은 시어머니 시집살이 시누이 시집살이가 심해 괴롭다고 하지만, 우리 시집 식구들은 인자하시고 현명하셔서 나를 편하게 대해 주시니 항상 감동하고 살아왔다.

우리 남편은 배려심 많고 인정이 많아 언제나 나를 잘 아껴주고 가정에 충실하고 지금도 건강한 모습으로 내 곁을 지켜주고 있다. 나의 부족한 점을 채워주는 내게는 최고의 남편이다. 시어머님도 다른 집 시어머님들 이야기를 들어봐도 우리 시어머님처럼 인자하시고 현명하시며, 며느리 사랑이 애틋하신 분은 없는 것 같다. 나는 우리 시어머님 사랑으로 살았다.

처음 약혼하고 시집에 다니러 왔을 때도 우리 시어머님은 그 귀한 용돈을 손에 쥐여 주셨다. 그리고 그다음은 말씀이 없으셨다. 그 용돈이 새며느리 될 사람에 대한 깊은 사랑임을 나는 알 수 있었다. 그리고 처음 시집오자마자 시어머님은 집문서, 문전옥답문서 등 전 재산 문서를 내게 다 내주시며, "이제 네가 간수하거라" 하셨다. 그때 내 나이 23세 아무것도 모르는 철부지 며느리에게 그런 귀한 전 재산 문서를 내주셨다. 새며느리에 대한 사랑과 믿음의 표시였던 것을 나는 감사함도 모르고 그저 부담스럽게만 느꼈었다. 우리 시어머님 같은 분은 아마도 역사에도 없고 현재에도 없으며 미래에도 없을 것 같다. 그렇게 나를 믿어주신 고마운 시어머님을 한없이 존경하고 또 존경한다.

　우리 시누이들 자랑을 빼놓을 수 없다. 내가 이렇게 또 행복한 마음을 갖고 살게 해준 인연이 우리 시누님들이기 때문이다. 오 남매 중 딸이 넷, 아들 하나인 우리 시집은 시누이 시집살이가 될 수도 있으련만, 하나뿐인 귀한 오빠를 내게 내어주고도 우리 시누님들은 내게 너무 과분한 사랑을 주셨다. 부모님 같은 큰 형님도 항상 따듯한 말씀으로 사랑을 주셨고, 둘째 형님도 시집간 출가외인이면서도 종종 친정에 오셔서 일을 도와주시고 농사 일을 못 하는 나를 조목조목 가르쳐 주셨다. "동생 댁, 밭을 매려면 앞머리부터 깨끗이 매야 하네. 그래야 예쁜 딸을 낳는다네." 농사란

농자도 모르는 철부지 동생댁에게 상냥한 목소리로 나를 가르쳐 주셨다.

또 우리 셋째 시누이님은 내가 시집오니 대학생이었다. 공부 잘하고 착한 사람이라고 집안에서는 물론 동네방네 소문이 나 있었다. 공부를 남달리 잘해서 대학까지 장학생으로 마쳤다 한다. 품행이 단정하여 모든 사람에게 모범이 되었던 셋째 시누이님은 선생님이 되어 서산시 교육청 장학사까지 역임하시고, 퇴직하신 우리 집에 자랑이며 문중의 자랑스러운 시누이님이시다. 그래서인지 어릴 때부터 마음 씀씀이 남달랐다. 공부하면서도 바쁜 시간을 쪼개어 알바 해서 받은 적은 용돈을 쓰면서도, 올케인 나에게 필요한 생활용품 주방용품을 다 사다 주었다. 너무 감사하고 감사해서 늘 나를 감동하게 한 시누이님이시다. 친정 올케한테 엄청 미안하고 반성이 느껴지곤 했다. 그리고 귀여운 우리 막내 시누님은 내가 시집왔을 때 고등학생으로 개똥만 굴러가도 웃는다는 한창 좋을 때였다. 막내 시누님 역시 시어머님과 나 사이에서 항상 내 편을 들어주고, "언니 많이 힘들지, 언니 고생해서 어째요?" 이렇게 나를 항상 따뜻한 위로 말을 잘해주는 고맙고 사랑스러운 막내 시누이님이셨다. 내가 살면서 남들 시누이 이야기를 들어보니 우리 시누님들처럼 착한 사람은 없었다.

그런 시집 식구들을 닮아 우리 아들도 어릴 때부터 할머님께 가정교육을 받고 자라 지금껏 착하고 모든 일 나무랄 데 없이 잘 살고 있다. 신이 내게 준 선물, 우리 손주들 아무 탈 없이 잘 자라고 있으니 얼마나 고마운 일이 아닌가. 나의 인생 그림에 꽃들을 그리게 해주었다. 지금도 내겐 소중한 인연이 참 많아 행복하다.

그 인연 중에 귀한 인연이 또 있다 내게 인생학교 같은 농업기술센터와의 인연이었다. 사회생활도 배우고 많은 농업 지식, 생활 아이디어를 배우고 실천하고 봉사활동 하면서, 훌륭하신 공무원 선생님들 인연을 만나 내 인생의 하얀 도화지에 멋진 장미꽃 한 송이를 또 그릴 수 있었다. 그리고 경제적으로 도움이 되어준 나의 제품 구매 고객님들 너무 감사하다. 나의 친목회비 걱정 안 하게 해주고, 우리 손주 용돈 걱정 안하게 해 준 것이 고객님들 덕분이다. 나를 믿고 구매해 준 고객님들에게 믿고 먹을 수 있는 좋은 식품을 만들어 드리는 게 나의 보답이라고 생각한다. 내가 사는 이웃 인연도 또 얼마나 좋은지 모른다. 나보다 열 살이나 많은 친언니 같은 송평점 형님 지금은 돌아가셔서 슬프게도 안 계신 전정근 형님은 바로 제일 가까운 이웃으로 살면서 시집왔을 때부터 기쁠 때나 슬플 때 같이 했고, 나를 친동생처럼 사랑해 주셔서 나의 본보기가 되어준 고마운 이웃 형님들이 있어 낯선 시집살이도 잘 견딜 수 있었다. 또 자꾸만 쓸쓸해지는 우리 이웃에 안정희 언니 윤경 씨 등 젊고 성품이 좋으신 분들이 나를 행복하게 해준다. 윤경 씨는 바느질 솜씨가 좋아 예쁜 가방을 돈 주고 산 것처럼 잘 만들어 주어 여기저기 잘 가지고 다닌다. 우리 안정희 언니는 음식솜씨가 좋아 맛있는 음식 선물도 잘 준다. 착한 이웃 덕분에 마음이 즐겁고 눈이 즐겁고, 입이 즐거우니 천국이 따로 없다 답답하다고 생각하면 함께 승용차를 타고, 여행도 가고 외식도 하고 꽃구경도 한다. 이 또한 좋은 이웃 인연 복이 아니던가.

또 그런 이웃만 있던가 아니다. 건너 마을에 사는 동생 같은 정순 씨는 마음씨도 곱고, 똑똑해 나를 항상 업 되게 해 줄 뿐 아니라, 우리는 만나면 인생 상담으로 마음을 달래고 문학소녀가 되어서 글도 같이 쓰고, 정순 씨는 글도 잘 써서 방송국에 편지글을 내서 자주 선정이 되어 방송에도 많이 나온 글솜씨 쟁이며, 서산시 문화원에서 붓글씨 잘 쓰기로 칭찬받는 명필가로 자랑스런 나의 지인이기도 하다. 정순 씨와 나는 낮에는 농사짓고 밤에는 단둘이 만나면 어릴 적 문학소녀로 돌아간 것처럼 좋은 글 이야기 좋은 교육이 이야기를 밤 가는 줄 모르고 나누기도 하고, 문학 모임에도 같이 가는 소중한 문학적 인연의 좋은 친구이다. 또 나의 소중한 인연 동갑내기 친구들 모임 양띠 친구들. "친구는 나의 거울"이라 하지 않은가. 나와 같은 처지로 살아온 친구들 가끔 한 번씩 만나 그동안 농사일하랴, 집안일 하랴 쌓인 스트레스 밀린 이야기 소재가 가득 넘쳐나니 각자 한마디씩 하려면 번호표를 뽑아야 할 정도다. 허물없이 이야기보따리를 다 풀고 나면 병원 신경과를 다녀온 것처럼 가슴이 시원하다. 소중한 우리 동갑내기 친구들 아프지 말고 그동안 시집살이하랴, 아이들 키우랴, 농사지으랴 고생만 했으니 노년 말기에 행복한 일만 누리고 살았으면 좋겠다.

또한 인생 후반전에 좋은 인연이 또 생겼다 "권영민 교수님!" 권영민 교수님의 인문학 명강의를 듣고 많은 것을 느꼈으며, 좋은 인연이 될 줄이야 꿈엔들 알았으랴. 나는 글 쓰는 솜씨가 없으니 체념하고 더욱이 바쁘다는 핑계로 글 쓰는 일은 저 멀리 미루어 놓았었는데, 이런 글을 쓰게 불을 당겨주신 교수님이 너무 감사하다. 훌륭한 교수님 덕분에 나의 인생 이야기를 글로 옮겨 말로만 듣던 "자서전" 유명한 사람만 쓰는 줄 알았던 "자서전"을 나도 나의 "자서전"을 내게 되었으니, 꿈만 같고 너무 행복하다. 오늘도 창문 너머 파란 가을 하늘을 바라보며 지난 추억을 꺼내 보니 마음이 따뜻해진다. 앞으로 남은 인생 더 멋진 추억 많이 만들어 내 하얀 도화지에 아름다운 그림을 더 많이 그리면서 나와 인연이 되어준 모든 분께 감사한 마음으로 살아가련다.

나의 음악 시간

　　나에게도 (즐거운) 음악 시간이 생겼다. 100세 시대에 나이가 들면 무엇으로 즐겁게 살까 고민하던 중 노후대책 차원에서 취미활동을 해야겠다고 생각하고, 일주일에 두 번씩 서산 시내에 있는 종합사회복지회관 하반기 기능 취미 교실 하모니카반을 등록했다. 그동안 나는 악기 하나쯤 배워서 취미생활을 하고 싶은 생각이 은연중에 있었다. 그러나 마음은 있어도 바쁜 시간을 쪼갤 수 있을까. 나도 할 수 있을까. 남들이 배웠다고 자랑하면 부럽기까지 했었지만, 학원 등록하고 다니려면 서산 시내로 20분을 차를 타고 가야 하고, 그럭저럭 한나절이라는 시간이 소요되니 여간 망설여지는 게 아니었다. 도저히 용기가 나지 않아 마음속에만 담아 두던 중, 이웃사촌 동생 윤경 씨가 우리 복지회관 교육 프로그램에 한 번 신청해 보자는 말에 훅하고 선뜻 대답했다. 인터넷으로 수강 신청을 무사히 완료 이제 시작은 반이라고 했다. 나도 하모니카 배울 날이 코앞에 다가온 것이다. 악기 중에 하모니카가 작고 가벼워 소지하기가 수월하거니와 어렸을 때 추억도 담겨 있으니, 정이 더 가는 것 같다. 시간을 아끼기 위해 유튜브로 공부해 볼까도 생각도 해보았지만, 이해가 쉽지 않고 나태해져서 배우지 않을 것 같아 복지회관에서 다니기로 했다.

접수 후 첫 개강식이 열리고, 일주일 중 수요일과 목요일이 잡혀 이틀 연속 다니며 생각해 보니 보통 시간이 걸리는 게 아니었다, 일주일에 2일을 할애해, 내 음악 시간을 만들려면 고민 좀 해

볼 필요가 있다고 작전을 짜야만 했다. 주차장이 협소한 탓에 늦게라도 도착하면 주차를 못하니 적어도 2시간 전에 도착해야만 하니 주차장에서 2시간을 허비하게 되는 것이었다. 할 일이 너무 많은데 이걸 어찌해야 하나. 고민고민하다가 일찍 오려면 너무 촉박해 화장도 못하고, 머리도 못 빗고, 고객님들께 문자 할 일, 거래처에 문자 할 일, 통화 할 일, 이웃들에게 전할 말 컴퓨터로 글도 써야 하고 문서작성 등등 할 일이 너무 많은 것이었다 "아, 그렇다면 이렇게 하자." 머리에 번쩍 설계가 그려진다. 오전에 할 일을 화장품서부터 머리빗까지 노트북과 저장 기능까지 모두 차에 싣고 와 처리하니 고민이 해결되고 시간 절약이 다 되는 것이었다.

"안 되면 되게 하라."라는 유명한 말이 내게 적중했던 것이다. 수강생들은 거의 퇴직하신 분, 내지는 할 일 없는 분, 나이가 많아 갈 데가 없어서 오셨다는 분들이 대다수이고, 나처럼 바쁘게 살면서 시골 먼 곳에서 다니는 사람은 나 혼자다. 그분들은 나에게 "참 대단하슈" 하신다. 시골 사람들은 정말 안쓰럽다 평생을 일만 하느라 이런 문화센터 복지를 한 번도 못 받아보고 사신다. 우리 동네에서도 이런 문화 생활을 하면 농촌 생활 하는 사람은 나밖에 없다.

나는 내가 열심히 노력의 대가이기도 하지만, 첫째 좋은 남편

만나고 좋은 시집을 왔기에 가능했던 것 같다. 우리 남편을 비롯한 시댁 식구들은 내가 하는 일은 적극 밀어주는 편이어서 내가 마음 편히 이것저것 교육도 많이 받을 수 있었고, 활동을 할 수 있었다. 그렇게 하모니카 배우는 시간은 잘 설계해 놓았는데. 또 한 가지 적응이 안 되는 일이 있었다. 분명 초급반에 신청했기에 같은 반 사람들은 모두 나처럼 처음 하는 사람으로 다 기초공부를 하느라 도 레 미 파 솔부터 배워야 하는 줄 알았는데 시작하자마자 잘 부는 분들이 너무 많으니 기가 죽어 어찌할 바를 몰랐다. "어머나 나는 어쩌지 나는 언제나 저리도 잘 불 수가 있을까 스트레스가 훅하고 머리를 짓 누르는 것이었다. 이런 문화센터 수업은 생전 처음 받으니 이곳 분위기를 모르고 답답하고 궁금한 게 많았다 궁금한 건 물어봐야 하는 법, 선생님께 "여기가 초급반인데 어찌 잘하시는 분들이 계시는가요." 하고 물어보니 하던 분들이 재수하신 거란다. 한 학기 배우고도 자신이 없으면 다시 재수 또 재수를 하며 배운다니 이해가 가기 시작했다. 그리고 두 시간 중에 한 시간은 기초 또 한 시간은 기존팀 나누어 수업하는 것이었다. 오히려 잘하시는 분들과 섞어서 수업하니, 경쟁심도 생기고 도움도 받으니 더 재미가 있었다. 이렇게 내 음악 시간은 서서히 적응 돼가고 있었다. 역시 배움이라는 건 쉬운 일이 아니었다. 강사님이 가르쳐주면 금방 잘할 것 같았는데 반드시 노력과 연습이 필요했다. 소홀히 하다가는 시계추 인양 왔다 갔다만 하게 생겼다. 그래서 수업이 끝나고 집에 오면 바쁜 일 대충 끝내고 불고 또 밤새워 불면서 연습했다. 입술이 터져 피가 날 때도 있었지만, 먹는 약 바르는 약 모두 사서 먹고 바르며 맹 연습했다. 강사님 말씀을 머리에 담고 안되면 다시 또 안되면 다시 불고 될 때까지 해서 안되는 게 어디 없으랴. 노력 없이 되는 일이 있던가. 나의 노력 근성이 다시 살아난 것이다.

그렇게 열심히 연습해서 더듬더듬 한 곡 한 곡 동요를 부를 수 있게 되니 재미도 있고, 하모니카의 고운 음악 소리에 푹 빠져

버렸다. 이제 예쁘게 부르는 연습만 하면 된다 연습을 많이 하고 수강하러 가는 날은 자신감이 넘치고 재미도 생겼다 수강하러 가는 날이 기다려지고 웬만한 일은 뒤로 미루고 수강하는 날은 잘 지켜 한 번도 결석하는 일 없이 꼬박꼬박 빠짐없이 다니는 우등생이 되었다. 서당 개 삼 년에 풍월 읊는다고 이슬비에 옷 젖듯이 콩나물에 물을 주듯이 열심히 수강을 다니니 서서히 나의 실력이 늘어나고 있다.

그동안 10여 년 이상 사업장을 하다 보니 이것저것 할 일이 너무 많고 좀처럼 한눈을 팔지 않고 오로지 사업에만 열중하느라 곁눈질은 도저히 할 수가 없었다. 그리고 사업에 따른 정기 해썹 교육을 받고, 위생교육을 받고, 온 신경을 시간 온도 체크 모니터링을 기록하고, 긴장과 경직된 나날을 보냈다. 그런데 이렇게 하모니카를 배우고 나서부터는 무척 행복하다. 이제라도 시작한 것이 너무도 다행스러웠다. 우리 반에서 제일 잘 부르는 반장님은 하모니카 봉사활동을 많이 다니신다. 복지관에서 하모니카를 배워서 경로당 요양원으로 행사를 다니시니, 너무 행복하고 보람 있으시니 너무 부럽기도 하고 나도 열심히 배워서 더 나이가 들면 우리 반장님처럼 봉사활동 다니리라 마음을 먹어 본다.

이제부터라도 하모니카를 배워 나의 취미생활로 정하고 날씨가 더운 날에도 일하다 지쳐 쉬는 시간에도 잠이 안 오는 깊은 밤에도 연습했다. 이제는 하모니카는 내 친구가 되었다. 남편에게 소음으로 방해가 될까 봐 방구석에 박혀 문을 꼭 닫고 연습하고 있으면, 우리 착한 남편이 나는 괜찮으니 걱정하지 말고 시원한 거실에 나와서 마음 놓고 연습하란다. 너무 고마웠다. 낯설기만 한 음표들 눈도 아름아름 이것도 같고 저것도 같고 눈을 비비며 외우고 숫자악보를 익히면서 불가능은 없었다. 하모니카를 배우고자 하는 나의 열정은 아무도 나를 따를 수가 없었다. 그리고 이제는 제법 하모니카 연주자처럼 악보를 얹어놓는 보면대도 구입해서 연습하니 유명 음악가 부럽지 않다. 하모니카도 1대만 구입하면 되는 줄 알았더니 장르마다 하모니카를 바꾸며 불어야 한다고 4대나 구입했다. 낮은음과 높은음을 바꿔가며 연주하면 신기하기만 하다. 우리 반 수강생 여러분들과 함께 합주로 연주하면 너무 멋지다. 자상하고 예쁜 강사님이 한 소절 한 소절 가리켜 주시는 하모니카 연주법을 배우며 열심히 따라 하고 있다.

가을이 시작되던 어느 날은 멋진 커피숍 야외 정자에 둘러앉아 야외수업도 했다. 예쁜 정원의 고운 단풍과 멋진 소나무 숲과 아름다운 하모니카 멜로디는 환상 그대로였다. 나이 70대가 주를 이룬 하모니카 연주는 비록 서툴지만 모두 소녀처럼 신나게 했다.

끝난 후에는 같이 정담을 나누며 식사도 하고 정말 재미있는 음악 시간이었다. 나에게 이제 하모니카는 친구가 되었고 행복 덩어리가 되었다 그동안 살림하랴 농사지으랴 아이들 키우랴 사업하랴 공부하랴 눈코 뜰 새 없이 달려온 오십 년 세월이 꿈만 같다. 바쁘게 사는 것만이 인생인 줄 알았다. 내가 나를 위로하고 수고했다고 말하고 싶다. 하모니카를 연주하면서 내게 즐거운 음악 시간이 생긴 것도 행복하지만, 조그마한 꿈도 생겼다. 연습을 많이 해서 멋지게 한 곡 연주할 수 있을 때, 시원한 간월호가 바라다보이는 탁 트인 집 앞 잔디밭에 자연과 함께 야외 음악회를 열고 싶다. 내가 사는 우리 집 주위에는 높은 산도 있고 얕은 산도 있어 봄가을 경치가 아름답다 그곳에 남편이랑 함께 올라 아름다운 선율의 하모니카를 연주해 보고 싶다.

우리 손주들이 집에 오면 손주들에게도 신청곡을 받아 연주해 주고 좋아하는 모습을 보고 싶다. 멀리 떨어져 자주 못 보는 우리 자식들 보고 싶을 때 하모니카를 연주하려고 한다.

나이 들어 오라는 데도 없고, 갈 데도 없어 쓸쓸할 때 하모니카를 벗 삼아야지. 상상만 해도 행복하다.

"나는 행복한 여자~"

오늘도 가방 한가득 하모니카와 하모니카 교본 책을 담아 서산시 종합복지회관으로 달려간다.

※ 담임선생님이 외우기 쉽게 가르쳐 주신 각 장조표

장조	바	나	마	사	라	가
(도가 되는) 음표 자리	파	시	마	솔	레	라
음표 숫자	1	2	3	1	2	3

어릴 때 배운 위 장조 표를 아직도 머리에 간직하고 있으니 하모
니카 수업 시간에 계이름 익히는 데 많은 도움이 되었다. 두고 두
고 잊지 않고 간직하려고 이곳에 기록해 둔다.

농사짓느라 힘들었던 지난 이야기

부릉부릉~ 철컥철컥~ 오늘도 우리 남편 트랙터를 몰고 간척지 논으로 출근한다. 지금은 씩씩하게 큰 농기계를 몰고 평생직장인 양 넓은 농장주로 멋지게 농사를 지으러 다니고 있지만, 남편과 나는 결혼 전에는 농사 농자도 모르고 살다가 결혼 초 새내기 농사꾼으로 서툰 농사 짓느라 매일 코피가 터지고 입술이 부르터 마음고생, 몸고생 무척 힘들었다. 남들은 잘도 하는데 지금 생각하면 왜 그렇게 힘들게 농사를 지었는지 모른다. 남편은 외동아들로 태어나 곱게 자라서 농사지을 사람이 아니라고 했다는데, 처음 하는 농사일인데도 물불을 안 가리고 뛰어들어서 나를 힘들게 했다. 시어머님 내게 말씀하시길 "내가 아들 고생 안 시키려고 문전옥답을 마련해 놓았건만 간척지는 뭣 하러 사서 고생을 하느냐"

고 걱정을 많이 하셨었다.

　나는 방앗간 집 막내딸로 귀엽게만 자라 농사일을 모르고 살다가 결혼할 때 중신아비가 남편은 농협 직원 땅부잣집 외아들에다 농사일은 일꾼 아저씨가 다 한다고 신랑감으로 괜찮다고 소개해 주었기에. 결혼하면 꽃길만 걷게 되고 무척 행복하게 살 줄만 알았다. 그런데 이게 웬일인가, 내 꿈은 산산조각 나버리고 먹지도 못하고 입지도 못하고, 눈만 뜨면 일을 해야 하는 땅부잣집 며느리. 나는 매일 일을 하며 엉엉 우는 날이 많았다. 어떻게 하면 이 지옥 같은 현실을 피할 수 있을까? 모든 걸 다 버리고 도망을 가버릴까 친정으로 돌아갈까 그런 생각이 하루에도 열두 번씩 나곤 했지만, 그러나 아무리 생각해도 갈 곳은 없었다. 아니 도망갈 방식을 모르니 용기도 못 내고 마음만 괴로워 남몰래 애태우고 살고 있던 차 남편마저 잘 다니던 직장을 차 버리고, 농사를 짓겠다고 겁 없이 농사일에 뛰어들었다. 처음 경험도 없는 사람이 망설임도 없이 제일 먼저 시도한 것이 느타리버섯 농사였다. 잘 키우기만 하면 농사인 줄 알았던 남편은 대차게도 하우스 두 동이나 지어 볏짚을 썰어 넣고, 열을 가해 소독을 하고 종균을 넣으니 뽀얗고 예쁜 느타리버섯이 여기저기 삐죽히 우후죽순으로 나오는 것이었다. 조금 따다가 볶아 먹으니 세상에 그렇게 맛이 좋은 게 또 있으랴. 고기맛보다 훨씬 좋았다. "와~ 우리 남편 대단하시네. 이런 걸 하다니! 그러나 경험도 부족했고 판로 개척을 못 해 그냥 그 예쁘고 맛있는 느타리버섯은 동네 잔치로 끝나고 말았다. 다음은 우리나라에서 영농후계자를 선정 농업자금을 줄 때 우리 면에서 제1호로 선택되어 우사를 짓고 소를 샀다. 정부자금으로는 택도 없어 결혼반지, 팔찌, 목걸이를 몽땅 팔아 소를 사는 데 보탰다. 그랬건만 80년대 초 전두환 시절 소값 하락으로 다 날렸다. 또다시 농사를 지었지만, 우루과이 농산물 협상으로 수입 농산물이 물밀듯이 밀려와 그 문전옥답만 가지고는 살 수 없는 세상이 되었다.

또다시 돼지 키우기, 개 키우기, 털게를 분양받아 논에다 양식 정성 들여 키웠지만, 갑작스러운 폭우로 다 떠나보냈다. 안 해 본 것이 없이 다 해 보았지만, 경험 부족으로 판로를 찾지 못해 모두 실패했다. 그래도 미련을 못 버리고 다시 자라 양식을 시도했다. 먼 남쪽에 가서 아기 자라를 비싼 가격에 분양 받아와 하우스에 물을 가두고 비싼 사료 먹여 온갖 정성으로 키웠으나 또 판로가 없어서 또 실패했다. 남편은 돈 벌려고 일을 벌이는 것이 아니라 내가 느끼기에는 '나도 무엇인가 하고 있다'는 것만 보여주기식 농업을 하는 듯했다. 실패를 거듭하니 올망졸망 시어머님이랑 콩과 팥 심어 판돈으로 돈 걱정 없이 살던 살림이 그만 빚이 산더

미처럼 불어나니 알거지가 될 판이었다. 제발 그만 멈추고 있는 농토나 알뜰히 지으면 좋으련만 말을 듣지 않았다.

　시어머님은 귀한 아들이 힘들게 일하고 실패하는 모습이 안타까워 걱정 많이 하시고, 남편의 헛된 꿈은 버리질 못하고 중간에 나만 새우 등 터지는 격이 되었다. 또다시 어느 해는 뜬금없이 오이 농사를 짓겠다고 우리 집에서 제일 큰 밭에 하우스를 짓고 오이 재배를 시작했다. 생전 들도 보도 못한 오이 농사를 짓다 보니 모든 일이 힘만 들었다. 오이만 심으면 되는 게 아니었다. 오이 새싹이 나오기 시작하면 타고 올라갈 줄도 매주어야 하고, 오이가 맺으면 크기 전에 따서 박스 포장을 해서 농협에 올려야 하는 일이었다. 늦은 여름 하우스에서 오이를 따려 하니 너무 더워 숨이 막혀 죽을 것 같다. 어떤 해는 남편이 마을 이장 일을 보면서 면사무소에 드나드느라 일을 못 하고, 마을 행사에 참석하느라 나 혼자 새벽부터 일어나 오이 하우스에서 일을 하면 무거운 오이 상자 들어 나르느라 허리가 빠질 뻔한 때가 한두 번이 아니었다. 한낮 뜨거운 햇볕에 하우스에 들어가 일을 할 때면 열사병으로 죽을 것만 같았다. 그렇게 힘들게 오이 농사를 지으면 오이값이 좋아야 할 텐데, 오이 농사도 경험이 없어 오이 농사도 실패했다.

생강 농사

그렇게 실패를 연속으로 당한 남편은 그래도 욕망을 채우지 못했는지, 다른 사람의 산비탈을 세를 주고 얻어 개간하여 생강 농사를 짓겠단다. 그때는 농기계라고는 경운기가 전부였던 시절인데, 어찌 산을 개간하여 밭을 만들어 생강을 심겠다 하는지 딱하기 한이 없었다. 그러나 만류하면 화를 내고, 그냥 내버려 두기도 하고, 모른 척도 해 보았다. 그러나 어쩌랴. 다시 남편 따라 산을 개척하는 곳에 가서 먹을 것도 챙겨주고 나무뿌리 돌멩이를 같이 골라내었다. 생강은 새 밭에다 심어야 연작 장애 없이 잘된다는 남들 이야기를 듣고 시작한 것 같은데, 어떻게든 성공해 보려고 노력하는 남편이 측은 하기도 해서 어쩔 수 없이 열심히 도와주었다. 이제 거의 밭 모양이 잡히니 두둑을 만들고 골을 타야 한다. 남편은 경운기로 두둑을 만들면 나는 괭이로 골을 타야 했다. 그런데 험한 산을 개간한 땅이라서 파면 팔수록 돌만 나오니 골이 타지질 않는다.

무거운 돌 골라내느라 힘들어하는 모습을 보던 남편은 일하다 말고 어디론가 가는 것이었다. 잠시 후에 나타난 남편은 큰 쇳덩어리로 만든 트랙터 부착용 골을 만드는 둥글이를 끙끙 들고 왔다. 그렇게 애쓴 보람도 없이 개간지 땅이라서 그런지 잘 자라지도 않고 가격도 하락하여 안타깝게 생강 농사도 실패!

간척지 농사를 짓다

허탄에 빠진 남편은 다시 현대 간척지를 분양받아 고난의 길을 걸어야 했다. 간척지 논은 우리 집에서 4킬로미터쯤 떨어진 바닷가 A. B지구 간척지에 있었다. 소금기 도는 간척지를 옥토로 만드느라 무척이나 힘들었지만, 지금은 그 고난을 이겨내고 전국에서 제일가는 우리나라의 곡창지대가 되었다. 가을이면 황금 들녘을 이루고, 갖가지 아름다운 철새가 하늘을 덮고 멋진 군무를 하여 장관을 이루는 꿈의 농업지대로 승화하였다.

요즈음은 수확을 끝낸 간척지 논에는 철새들의 먹이터가 되어 온갖 철새들의 낙원이 되어 낱알을 주워 먹느라 논 가득 날아와 앉아 분주하다. 사람이 지나기라도 하면, 퍼드득하고 한 번에 날아올라 장관을 이룬다. 황금벌판에 벼 낱알이 많이 있다는 소식이 저 멀리 시베리아까지 소문이 난 듯 320여 종 40여 만 마리 철새가 배를 채우러 찾아온다. 철새들과 친구가 되어 함께 농사짓는다. 봄이면 온갖 철새 오리 떼들과 모내기를 같이 하고, 가을이면 가창오리 군무를 보며 콤바인 작업을 하며 남편은 일부러 철새 먹이로 벼 몇 포기씩을 남겨놓기도 하고, 볏짚을 그대로 깔아놓아 철새들과 나누어 먹는다. 도시 사람들은 황금벌판과 철새의 군무를 보기 위해 주말이면 인산인해를 누리고 좋아 보일지 몰라도 우리 남편과 나의 피와 땀이 묻은 땅이다. 시 부모님께서는 하나밖에 없는 귀한 아들 편히 먹고살라고 집 근처에 문전옥답을 장만해 주셨는데, 간척지 논을 사서 완전 고생길이 열렸다

집 앞에 부모님이 물려 주신 스무 마지기 문전옥답만이 농토가 전부였던 우리 부부는 농산물 수입으로 농산물값이 하락하여 살림이 자꾸 졸아 들어만 가던 그때, 우리나라의 제일 기업인 현대건설이 들어와 부석면민의 생활의 터전이었던 집 앞 바다를 막아 간척지로 만드는 바람에 수산자원의 터전을 잃은 부석면민들은 더욱이 생활고에 시달렸다. 빼앗긴 바다는 간척지로 만들어 벼 농사를 지어 대기업만 부자가 만들어 주는 꼴이 되었다. 간척지

공사를 시작할 때는 국민이 말할 권리가 없었던 때라서 바다를 육지로 만드는 제방 공사 현장을 보고도 한마디 말도 못 하고 삶의 터전을 빼앗기고 말았다. 그리고 몇 년이 지나 세상이 바뀌니 마을 주민들은 조상 대대로 생존의 터전을 찾고자 주장을 해서 현대 간척지를 되찾은 것이었다.

그때 우리 동네로 분양받은 넓은 농토를 마을 사람들은 소농만 하였기에 엄두를 못 내고 포기했는데, 우리 부부와 한 동네 사는 젊은 부부랑 그 넓은 땅을 떠안게 되었다. 그 넓은 간척지 농사를 짓느라 우리 부부는 정말 죽을 고비를 넘기듯 힘들었다. 현대건설에서 큰 기계로 농사지으며 방치한 상태라서 논바닥이 고르지 않아 어디는 딱딱하고 어디는 수렁이 있어 기계가 빠지기가 일쑤였다. 잡초를 제거하지 않아 논이 아니라 갈대밭 같기도 하고 숲 같기도 했다. 더듬더듬 찾은 논들은 경계선도 안보이고 논인지

논둑인지도 분간하기 어려워 논갈이가 아니라 밀림 지대를 개간하는 느낌이 들 정도였다.

　나는 너무도 고생하는 남편을 어떻게 하면 도울까 바짝 다가가 남편의 시키는 대로 분주히 움직여만 했다. 남편이 트랙터로 논을 갈면서 기름이 떨어졌다고 하면 재빨리 주유소로 달려 로켓 배송을 해야 했고, 고장이 나면 농기계 수리센터로 달려야 했다. 너무 빨리 달려오는 바람에 뭐가 고장 났는지 확인도 안 해서 다시 전화로 물어보는 일이 생길 때는 나를 얼마나 자책했는지 모른다. 모내기하기 위해 모판에 씨앗을 드릴 때는 씨앗을 드리고 흙을 덮은 무거운 모판을 허리가 휘어지도록 들고 내리고 하기를 수십 번 무논에 판을 치고 퍼럭퍼럭 빠져서 한쪽 발을 빼면 또 한쪽 발이 빠져 몸 가누기도 어려운 못자리 판에 나란히 늘어놓아야 하니 허리가 빠지는 고통을 참고 또 참아야 했다.

　트랙터나 이앙기가 수렁에 빠졌다고 연락이 오면 한 덩치 하는 내가 가야 기계를 뺄 수가 있었다. 남편이 수렁에 빠졌다는 곳으로 달려 "이쪽에 올라타!"라고 남편의 명령이 떨어지면 재빨리 한쪽으로 기울어진 반대편 기계 바퀴 위에 올라탔다. 그러면 힘을 받아 깊숙이 빠져서 헛바퀴 돌던 기계들이 쑤욱 하고 나온다. 그러면 휴~ 하고 한숨을 쉬고 다시 기계를 몰고 간다. 농사는 때가 있는 법, 한시도 시간을 지체할 수가 없다. 빨리빨리 서둘러야 시기를 놓치지 않고 결실을 거둘 수가 있기에 농부들은 허리 펼 새 없이 일한다. 농부들은 내일은 몸이 망가질지라도 오늘 일을 해야 한다. 벼농사의 반은 못자리하는 일이다. 못자리 하는 일도 내가 도와주지 않으면 남편 혼자 어쩔 수가 없다. 남편은 끝없는 간척지 갈대숲 같은 논을 트랙터로 갈고, 로터리 하느라 새벽별 보고 나가면 저녁별 뜰 때까지 몇 날 며칠 끝이 없다.

그러니 나머지 일은 내 차지였다. 일꾼들 사는 거며 일 시키는 거며 모두가 내가 해야 한다. 미룰 데가 없으니 안 하던 트랙터까지 운전해야 했다. 20년 전 그때는 동네 남자들도 트럭 운전이나 트랙터 등을 운전하는 분이 별로 없었기에 모든 기계와 차를 움직일 때는 내가 운전해야 했다. 푹푹 빠지는 논에서 트랙터로 운반기를 달아 운반해야 하기에 운반기 옮길 때에는 트랙터를 운전하고 또 차를 운전해야 할 때는 진흙 손발로 논둑으로 나와 트럭 운전을 해야 했다.

모내기 일도 쉽지 않았다. 동네 분들과 힘들게 허리가 휘어지도록 무거운 모 상자를 안고, 퍼럭퍼럭 빠지는 못자리 판에 늘어놓고, 부직포로 덮어놓고, 진흙을 한 움큼씩 퍼서 눌러놓고 나오면 끝이었다. 그런데 어느 해는 안심하고 하룻밤을 자고 나오니 간밤에 폭우가 쏟아진 논과 밭이 물바다를 이루고 어렵게 늘어놓은 모자리 판이 둥둥 조각배처럼 온 논바닥에 흩어져 떠다녔다. 그 많은 못자리를 다시 해야 하니, 힘든 일이 걱정도 되거니와 모내기 때가 늦어져 농사가 실패할까 봐 더 걱정되었다. 남편과 나는 망연자실 울고만 있을 때가 아니라 다시 물 장화를 신고 고무장갑을 끼고 논으로 달려갔다. 둥둥 떠다니는 못자리 상자를 모두 주어 끈으로 묶고 물이 뚝뚝 떨어지는 상자 묶음을 건져다 둑 위에 올려놓기를 하루 종일 하였다. 그리고 다시 동네 사람들에게 다시 부탁하고 못자리 상토를 다시 구입하고, 또 많은 경비를 들여 모를 다시 키워서 먼 간척지 논까지 모판을 차에 싣고 나르기를 해야 했다.

모판을 논에서 차에 실으려면 트랙터와 차에 이송기를 장착하고 무논에 들어가 이송기라는 기계를 장착해야 했다. 이송기에서 올라오는 모판을 잘 쌓아야 먼 간척지까지 무너지지 않고 잘 갈 수 있기에 모판 쌓는 일도 쉬운 일이 아니었다. 셀 수도 없이 많은 논에 모판 나르기는 끝도 없었다. 한없이 높은 둑에 갈대가 우거져 모판 옮기기가 난관 중에 난관이었다. 갈대들이 눈과 코와 다리를 찌르고 피가 났지만, 그것도 모른 채 엉클어진 갈대에 걸려 모판을 안고 가다 넘어지길 수십 번이었다. 이 간척지 농사는 생사를 넘나드는 일이었다.

이렇게 애지중지 키운 모가 잘 자라 황금물결을 이룰 줄 알았는데 이게 또 웬일인가? 가을 결실을 앞두고 태풍 루사가 온 누리를 휩쓸고 지나가 벼 이삭들이 모두 백수현상이 되었다. 망연자실 너무도 큰 시련을 연속으로 겪으니, 살길이 막막했다. 논 사느라 얻은 융자금이 날아갔으니 또 빚을 얻어야 했고, 남편과 나는 마음도 지치고 몸도 지치고 정말 사업 실패로 목숨을 끊은 사람들이 이해가 갔을 정도였다.

그러나 남편과 나는 백수가 된 벼를 수확해 품질이 안 좋다고 거부당해서, 사정사정해서 정부 매상도 하고 농협 알피씨 산물 벼로 싼값에 팔아야 했다. 남편은 콤바인 작업으로 수확하면, 나는 2.5톤 큰 차에 벼를 받아 가득 싣고 벼를 수매하러 농협 알피씨로 다녀야 했다. 무거운 짐을 싣고 커브 길을 돌아갈 때면 운전대가 돌아가지 않아 팔이 끊어지듯 아팠다. 언덕길에 오를 때나 내리막길에 내릴 때 혹시 잘못될까 봐 운전대를 꼭 잡고, 브레이크를 꼭 잡고, 안전 또 안전운전을 위해 최선을 다해 다녔다. 나의 방심으로 또 손해를 보면 안 된다는 생각에 운전대를 꼭 잡았다. 지금 생각하면 꿈을 꾼 듯하다. 어찌 그런 힘이 났는지 모르겠다.

이제 좀 괜찮으려나 하고 열심히 모를 심어 일 년 농사를 다 지어 벼 이삭이 고개를 숙이려 할 때, 또 콘파스라는 태풍이 서해안으로 들어와 우리 부석면을 초토화했다. 얼마나 센 태풍인지 파도가 산처럼 올라가고, 그 올라가는 짠물 바다 파도를 태풍이 온 산과 들에 뿌려 간척지 논은 물로 바다와 먼 집 앞 논과 밭이 소금 절이듯 파란 잎을 절여 사상 최대로 콩과 과일 농사짓는 농가들의 피해가 컸다. 우리 논 또한 벼 이삭이 모두 소금에 절인 듯 고개를 숙이고 말았다. 얼마나 태풍이 거셌던지 무거운 컨테이너가 하늘로 날아가 떠다니다 논바닥에 곤두박질치고, 사무실 컴퓨터가 날아가 산모퉁이에 곤두박질했으며, 집들이 날아가고, 세발자전거를 타고 놀던 어린아이가 간 곳이 없다고 신고할 정도였다. 그 정도의 큰 태풍을 맞은 간척지 논의 벼는 완전히 초토화됐다. 우리 남편과 나는 또다시 시련을 겪어야 했다. 그래도 남편이 있으니 함께 걱정하고 함께 상의하니 어려움을 이겨내고 다시 일어설 수가 있었던 것 같았다.

이렇게 한 해 두 해 이제 괜찮겠지 하면서 농사를 진 것이 10년이 지나니 요즈음은 태풍도 오지 않고, 간기도 그쳐 연이어 풍년 농사를 지어 융자금도 다 갚아 땅 부자가 되었다. 가을이면 넓은 논마다 황금 물이 출렁이는 가슴 뛰는 광경을 볼 수 있게 되었다. 노오란 벼 이삭을 남편은 콤바인으로 힘든 줄 모르고 혼자 수확을 해서 농협 알피씨에 가지고 가면 벼가 잘 여물었다고 1등을 받았다고 흐뭇해하는 모습을 볼 때면 힘들던 지난날을 까맣게 잃어버린다.

꾸준히 농사를 짓다 보니 우리 부부는 어느덧 70 고개를 넘었다. 아들들이 다 자라 결혼을 해서 이쁜 며늘아기가 둘이나 생겨 눈에 넣어도 안 아픈 귀하고 예쁜 손자가 두 명씩이나 생겼다. 남편은 한 해 농사를 지어 돈이 생기면 아들 손자에게 용돈도 주는 여유도 생겼으니, 이런 순간을 만들려고 힘든 시간을 이겨낸 것 같다. 이제 우리 부부는 간척지 논을 큰 산처럼 든든하게 생각하고, 내가 낳아 키운 자식처럼 애지중지 사랑하며, 남편은 행복하게 농사를 짓고 있다. 우리 부부는 고생한 보람으로 얻은 간척지 논 이야기도 하고 늦게 얻은 손자들 재롱 보면서 노후를 편안히 살려고 한다.

우리 간척지 농사 매년 풍년 농사 되기를 기원하고 기원한다.

보물 같은 우리 손주들

"할아버지 할머니. 사랑해요~ 눈에 넣어도 안 아플 우리 손주들이 고사리 같은 손으로 하트를 만들어 보이며 귀여움을 핀다. 이 세상에 나만 손주 본 것 같다. 큰아들보다 먼저 둘째 아들이 우리 부부에게 첫 번째로 안겨준 귀한 선물인 손주 희수. 멀고 먼 미국 땅에서 태어났다고 소식이 왔던 날, 그 기쁨의 소식은 영원히 못 잊을 것 같다. 남편과 나는 너무도 감격해 행복에 젖어 어쩔 줄을 모를 지경이었다. 우리 손주는 복덩이 손주가 태어났다. 우리 둘째 아들은 2011년에 결혼을 하고 두 부부가 2012년 되던 해 여름, 꿈을 찾아 먼 미국 땅으로 대학원 공부를 위해 갔었다. 긴 이별이 시작되는 줄도 모르고 그냥 서울 갈 때처럼 서산 터미널에서 가벼운 작별을 하고 보냈다. 미국으로 건너간 우리 아들 며느리는 먼 낯선 땅 미국에서 신혼살림도 미루고 각기 다른 주에서 대학에 다니며 살았으니 얼마나 외로울까, 너무 안쓰러운 생각에 늘 가슴이 먹먹하고 눈물이 났다. 그렇게 외롭고 긴 나날을 참고 견딘 장한 우리 둘째 아들 며느리는 무사히 졸업하고 취직을 해서 알뜰히 돈을 모아 집을 사고, 드디어 신혼살림을 차렸다는 기쁜 소식을 듣고 한숨 놓였다.

기쁜 소식이 연달아 왔다 며느리 임신 소식이 또 오니 그동안 안타깝고 속상했던 마음이 눈 녹듯이 사라지는 깃이있다. 그러나 임신한 작은 며느리에게 맛있는 음식도 못 해주고 가볼 수도 없으니 늘 미안하고 안타까울 뿐이었다. 말도 안 통하고 음식도 맞지 않는 외국에서 얼마나 힘들었을까 걱정만 했다. 아무런 도움도

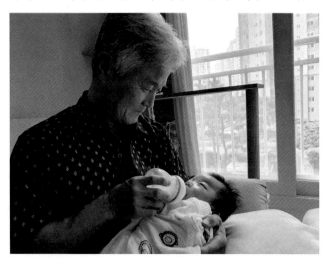

못 되는 내가 원망스러웠다. 그래도 씩씩하게 잘 견디고 견뎌 건강한 손주를 낳아 안겨준 우리 작은며느리가 고맙기 짝이 없었다. 우리 손주가 첫돌이 지나서야 우리 부부하고 큰아들 내외랑 넷이 미국 작은아들네로 손주를 만나러 갈 수 있었다.

　비행기를 타고 태평양을 건너 미국 땅에 도착하고, 다시 텍사스행 비행기로 갈아타고 장장 17시간 걸려 도착해서 귀한 손주를 안아 보았다. 예쁜 손주를 안아 보니 가슴이 뿌듯하고 행복이 만땅 이 세상에 이렇게 귀한 보물이 또 있을까? 누가 뭐래도 우리 손주였다. 처음 보는 할아버지 할머니 품에 안겨도 울지 않고, 방실방실 웃으며 덥석 안기는 것이었다. 미국에서 태어났어도 할아버지도 닮은 듯 할머니인 나도 닮은 듯 낯설지 않은 모습 우리는 아무것도 부럽지 않았다. 아무리 미국에 좋은 구경거리가 있다고 해도 손주 보는 일만 못하니 우리 부부는 모든 관광 일정을 취소하고 손주만을 안아주고 오리라 마음먹었다. 집에 올 때까지 밤낮으로 손주만을 데리고 놀았다. 그때 나는 무릎 관절염으로 걷기가 어려운 상태에서 걷기가 힘들었기에 맘대로 아기를 업어주지도 못하고 안아주지도 못해 무척 안타까웠다. 남편도 손자를 후회 없이 안아주고 오려고 힘든 줄도 모르고 혼자 업어주고 안아주며 손주 보느라고 애쓰는 모습이 보였다. 그러나 한없이 이쁜 손주 힘든 줄 모르고 품에서 뗄 수가 없었다. 그렇게 우리 부부는 밤낮

없이 손주가 잠에서 깨기만 하면 안아주고 보행기에 태우고 동네 한 바퀴 돌며 미국 사람들에게 자랑을 하고 다녔다. 착한 우리 작은 며느리 싫은 내색 없이 귀한 아기를 안겨주고 여러 날 식사 대접하느라 고생했다. 너무 고마웠다.

예쁜 손주와 한없이 같이 있을 수는 없는 일이기에 품에서 떼어놓고 4박5일이라는 짧은 손주와의 만남과 추억을 뒤로하고 아쉬운 작별을 해야만 했다. 사랑하는 손주와 아들 며느리 헤어지기가 아쉬워 우리 가족은 일 년에 한 번씩 하와이에서 꼭 만나기를 기약하고 비행기를 탔다. 그런데 세상은 변화무쌍하다 했던가. 생각지도 않은 코로나가 생겨 우리 손주를 3년 동안 못 만나게 되고 말았다. 3년 동안을 아들, 며느리, 손자 그리움에 눈물이 마를 날이 없이 살았던 것 같다. 화상통화로 어렴풋이 자란 모습을 보다가 어느덧 3년이란 세월이 흐르니 코로나도 해제되고 우리나라는 물론 세계가 오고 갈 수 있는 때가 왔다.

이제 그리도 보고 싶던 둘째 아들네 식구들과 만날 수 있으리라는 희망을 안고 살던 중 아들이 출장 오게 되어 가족과 함께 온다는 것이었다. 정말 기뻤다. 농사를 다 마무리하고 한가한 겨울 12월 중순 우리 손주는 엄마 아빠 손을 잡고 먼 태평양 바다를 건너 할아버지 할머니를 만나러 온 것이다. 서먹서먹할 줄 알

앉던 우리 손주는 핏줄이라도 당기는 듯 선뜻 할아버지 할머니 손을 잡으며 사랑한다고 말하니, 아니 이쁠 수가 있을까? 눈에 넣어도 아프지 않을 것 같았다. 먼 미국 땅에서 잘 자라 할머니 할아버지 품에 다시 안긴 우리 손주를 위해 손주가 좋아하는 놀이공원에 날마다 데리고 다니며 손주와 추억을 쌓았다.

　그렇게 작은아들 손주 희수가 3살 될 때까지 큰아들은 아기가 생기질 않아 안타까운 나날을 보내야 했다. 기다리고 기다리다 이 제 지친 상태에 이를 즈음, 기다리고 기다리던 큰아들의 손주 6년 만에 태어났다. "어머니 제가 임신을 했어요~" 세상에서 이런 기 쁜 소식이 있을까! 큰며느리에게서 온 이 짧은 단어 전화 소리를 듣고 너무 기뻤던 일을 평생 잊을 수가 없다.

　우리 큰아들 첫 손자 희윤이~ 큰아들은 삼십팔 세 되던 마 지막 달 12월에 결혼했으니, 늦은 나이에 결혼해서 우리 부부는 무척 애를 태웠다. 형이 먼저 결혼해야 순서인데 순서를 기다리다 못해 먼저 동생이 결혼하고, 아이까지 먼저 낳는 바람에 형인 큰아들이 무척 급한 처지가 되었다. 혼자 다니는 것도 보기 안쓰럽고, 나이가 자꾸 들어가니 속만 타고 있던 차 드디어 큰아들이 결혼 발표를 듣고 얼마나 기뻤는지, 지금도 그때를 생각하면 가슴이 뛴다. 어머니 아버지를 깜짝 놀라게 하려고 참하고 예쁜 아가씨를 맡아놓고도 귀띔도 안 해 주었던 것이다. 쇠뿔은 단김에 빼랬다고 기다리고 기다린 며느릿감이 생기니, 빨리 결혼시켜서 손주도 보고 싶고 마음이 조급하건만 아들은 역시 또 뜸을 들인다. 드디어 상견례 날이 잡히고 결혼식을 올렸다.

그런데 결혼을 시키면 금방 생길 줄 알았던 손주가 생기질 않는 것이었다. 하루가 지나고 한 달이 지나고 또 일 년이 지나고, 또 일 년이 지나고 삼 년이 지나고 기다리다 기다리다 지쳤다. 이제 어찌해야 하나 빨리 아기가 생겨 한 가족이 차를 타고 다녀야 하는데, 내가 아기를 못 갖는 며느리에게 너무 무심한 건 아닌가 생각했다. 한약도 사 먹이고 했지만, 뾰족한 방법이 없었다. 그저 기다리는 수밖에 없었다. 세월이 자꾸 흘러 아들 나이가 많아지니 더 초조해지는 것이었다. 어쩌다 텔레비전에서 인공 수정하는 것을 보니 무척 아파하고, 한 번에 성공하지 않고 여러 번 해도 실

패를 거듭하면서 실망하는 모습을 보면 의술이 좋은 시대라고는 해도 그것도 못 할 짓이었다. 그 예쁜 며느리에게 어찌 저 힘든 일을 하라고 할 수 있을까 생각조차도 하기 싫었다. 하는 수 없지. 하늘의 뜻인 걸 어쩌랴. 생기면 낳고 안 생기면 그냥 살아야지. 요즘 세상에 아이 없이 산다고 못살 것도 없을 것을 너무 욕심부려서 며느리 마음 다치지 말자고 하면서도 그래도 걱정이 되고 또 되었다.

겉으로는 표현을 다 못해도 잠을 자다가도 일하다가도 운전하다가도 움뜩움뜩 생각이 났다. 이웃분들도 "큰며느리 아직 아기가 없나요?"하고 궁금해할 때마다 난처하곤 했지만, 내색도 못하고 꼭 참고 기다릴 수밖에 없는 노릇이었다. 그렇게 남편과 나는 우리 참고 기다리자고 이야기를 나누고, 애들이 덕 걱정이지 우린 삼자 아니냐. 철석같이 약속했는데 애들이 다니러 왔던 어느 날 남편이 술을 거나하게 드시고 아들 며느리 앉혀 놓고 실수하고 말았다. 참았던 손주 타령이 폭발한 것이다. "너희들 결혼한 지 지금 몇 년째인데 아직도 아기가 안 생기느냐? 일부러 안 낳는 것 아니냐?"며 다짜고짜로 손주 낳으라고 떼를 쓰는 것이었다. 남편의 손주 바라는 마음은 이해하지만 이건 아니었다. 결혼만 하면 애가 절로 생기는 줄 아는 철없는 남편이 참 원망스러웠다. 애들이 더 미안해할 텐데, 위로는 못 해줄망정 꾸중까지 하니 난감하기 짝이 없었다. 그동안 나도 늘 텔레비전에 나오는 아이들이 왜 그리 예쁜지, 지나가다 아기들만 보면 나는 언제 저런 손주를 인이 볼 수 있을까, 놀이터에서 아이들 목마를 태우고 노는 젊은 엄마 아빠들 보면서 너무 부러웠다. 하지만 남편에게 다시는 그런 말 하면 안 된다고 다짐하고, 아들 며느리에게 이해들 하거라 이르기는 했지만, 돈 주고도 못 사 오는 손주가 안 생기니 나의 속도 여간 타는 게 아니었다.

엎친 데 덮친다고 몇 년이 지나던 어느 날 집안 결혼식에 다니러 온 큰아들이 비보를 전해 주는 것이었다. 큰며느리가 유산을 했다는 것이었다. 그래서 다니던 직장도 그만두고 집에서 쉬고 있다 했다. 너무도 안타까운 소식 위로차 전화하니 큰며느리는 아버님 서운해하실까 봐 말도 못 했다고 한다. 본인도 힘들 텐데 시아버님 걱정부터 하는 것이었다. 아들 며느리가 얼마나 실망했을까 생각하니 마음이 짠하고 무어라 위로에 말이 생각이 나지 않았다. 그래도 아기가 생기긴 했었다 하니 희망은 있구나. 다시 생기겠지 또 기다려 보자. 내 마음속으로 위로를 해 보았지만, 하루가 열흘같이 세월이 흘러도 좀처럼 아기 소식이 없으니 답답했다. 지친 나날을 보내던 2021년 추석 무렵 세상이 코로나로 가족끼리도 오가지 못하고 전화로만 안부를 물어보는 세상이던 때, 큰아들이 코로나로 못 온다는 연락이 왔다. "그럼 그래야지. 안 와도 된다." 무서운 시국이라 서로 건강하기만 기원해야만 했다.

그런데 그런 줄만 알았는데 그게 아니었다. 새아기가 다시 전화가 왔다. "어머님, 저 임신했어요. 코로나로 명절에 못 가는 게 아니라 제가 임신을 해서 못 가요"하고 말한다. "어머나, 그런 거냐~ 축하한다. 정말 축하한다. 암~ 그래야지 꼼짝 말고 몸조심하고 있어라." 전화를 끊자마자 남편과 나는 함께 손을 잡고 저절로 덩실덩실 춤을 추었다. 우리 남편과 나는 이게 꿈인가 생시인가 기다리고 기다리던 손주 몇 년을 기다렸는가. 목이 길게 빠져 갈 때쯤 손주가 생겼다는 소식을 들으니, 그동안의 모든 걱정 근심이 다 없어지고 하늘을 찌를 듯이 기쁘기만 하였다. 저절로 춤이 추어졌던 것이었다. 한번 유산한 경험이 있어서 또 그런 일 생길까 봐 임신하고도 한 달 된 후에 소식을 전했다는 속도 무던히 깊은 큰아들이다.

좋은 일도 많이 있었지만 이렇게 가슴 벅찬 기쁜 일은 난생처음 생긴 것 같다. 기쁨을 주체할 수가 없었다. 살도 꼬집어 보았다. 볼도 때려보았다. 정녕 꿈은 아니었다. 나는 그저 아들이고 딸이고 건강한 아기만 태어나길 기원하며, 귀한 아기를 가진 예쁜 며느리 무엇이 먹고 싶은지 다 해주고 싶었다. 그러나 먼 거리에

서 살고 있으니, 마음뿐 잘해주지 못했다. 그리고 또 기쁜 소식을 전해 주었다. 의사 선생님이 아들이라고 했단다. “우리 큰아들도 듬직한 아들이 생겼다.” 하고 하늘 높이 외치고 싶었다. 우리 큰아들도 아들이 생겼단다. 그렇게 기쁨을 주체할 수 없어 우리 부부는 웃음이 항상 입가에 달고 순산하기만 기원하면서 열 달을 기다렸다. 드디어 2021년 5월 11일 우리 집 장손, 우리 집 보물단지가 대차고 우렁찬 목소리로 울음을 터트리며 당당히 이 세상에 태어났다. 어찌나 크게 울던지 씩씩하고 건강한 손주가 태어났다고 산후조리를 해주신 사부인께서 전해 주시면서 좋아하셨다.

남편과 나는 하루빨리 달려가 손주를 안아 보고 싶었지만, 며느리 산후조리 끝나고 몸을 추스를 때까지 기다렸다가 조심스럽게 손주를 만나러 서울 아들 집에 갔다.

손주가 안 생겼을 때는 작은 아파트도 텅 비어 서운했는데 마악 현관에 들어서니 왠지 집이 꽉 차 보였다. 들어가자마자 꼬물꼬물하는 손주를 안겨주는 아들과 며느리 이런 효자 효부가 또 어디 있을까? 이 세상에서 제일 귀한 선물 받아본 느낌 이루 말할 수 없이 기뻤다. 기다리고 기다리던 손주 이 순간을 얼마나 기다렸는가 그동안의 힘들었던 순간들이 눈 녹듯이 다 없어지고 이 세상에 우리 부부가 제일 행복한 것 같았다. 착하게 살면 좋은 일이 생긴다더니, 기다리면 좋은 일이 생긴다더니, 앞으로는 더 착하게 살면서 나보다 못한 사람들에게 베풀며 살리라. 이렇게 예쁜 손주를 선물 받았으니 나는 더 이상 바랄 게 없다. 내일 죽는다 해도 여한이 없다고 생각했다. 한꺼번에 소원이 다 이루어진 느낌이었다.

이 세상 모든 신에게 감사드리고 싶다. "우리 아들들에게 똑같이 아기 점지해 주셔서 너무 감사드립니다. 앞으로 좋은 일 많이 하고 잘 살겠습니다. 누가 뭐래도 화내지도 않고 늘 상대방을 이해하고 베풀며 살겠습니다. 감사합니다."

지금도 여섯 살이 된 작은아들 손자 희수와 세 살 된 큰아들 손자 희윤이 재롱에 홀딱 빠져버린 남편과 나는 너무 행복하고, 건강한 손자 둘을 생각하면 밥을 먹지 않아도 배부르고 부러울 것이 없다. 이제는 숙원이 이루어진 것 같고, 이제 더 바랄 것이 없다. 우리 가족 모두 건강하기만 바라고 빌며 살련다. 우리 손주들 건강히 잘 크기만 기원하며 살려 한다. 우리 손주들 무럭무럭 잘 자라거라 사랑한다.

어느덧 69세 나이에 찾아온 추석

　해마다 어김없이 찾아오는 추석 명절 무덥던 여름이 가는가 하면 가을이 온다. 가을의 문턱에는 늘 추석 명절이 있다.

　살인적인 더위에 지쳐 있던 나는 시원한 가을을 맞이하여 좀 쉬어볼까 하면 추석 명절이 찾아와 마음을 무겁게 한다. 명절이 오면 가족들에게 먹일 반찬이며, 차례상에 올릴 제수품이며, 그동안 무더위로 미루었던 집 안 청소 이것저것 맘 쓰이는 게 한둘이 아니다. 이것저것 메모지에 적고 또 적어 마트에 들러 한 바구니 챙겨왔건만, 또 빠트린 것이 많아 몇 번을 다녀오느라 무척 힘들곤 했어도 아이들에게 먹인다고 생각하면 없던 힘이 나곤 했다. 그런데 올 추석에는 아들 며느리 손주까지 처가댁으로 가겠다고 한다. 음식 차릴 마음이 사라져 버린다. 좀 서운한 마음이 들기도 했지만, 아이들이 하고 싶은 대로 편하게 해주고 싶어 흔쾌히 승낙했다. 그리고 며느리가 친정집에서 반가운 친정 식구들과 행복한 시간을 보낸다고 생각하니 마음이 흐뭇했다 예쁜 손자 재롱을 나만 볼 수 없지 않은가? 사돈어른들도 다 같은 손주인데 서로 양보하는 게 맞는 것이라고 생각하니, 며느리 기쁨이 내 기쁨으로 느껴졌다.

남편과 둘이 차례를 지내고 몇 개 안 되는 설거지를 끝내고 차 한 잔을 들고 거실 소파에 앉아 유리창 너머 뻥 뚫린 저 들녘 지평선 바라보니 속이 시원하다. 짙푸르던 들녘이 이제 제법 누런색으로 변해 곧 황금 도포로 갈아입을 태세다. 참 이런 시간 이런 분위기 오랜만에 느껴 본다. 곧 70세가 되는 69세의 나이에 처음으로 맞이한 한가한 명절을 맞이해 보니 감회가 새롭다. 그동안 명절 때마다 너무 분주하게 시달려 왔기에 이런 날이 있으리라고는 생각도 못했다. 우연히 길 가다가 주운 것처럼 우연히 다가온 한가한 명절 분위기다. 그동안 북적대고 나를 힘들게 했던 나날들이 주마등처럼 스쳐 간다.

어찌 나라고 명절 때면 친정에 가고 싶지 않았을까. 나라고 어찌 명절 때 고운 옷을 입고 나들이 가고 싶지 않았을까. 남들은 명절이라고 즐거워할 때 나는 많은 문중 사람들 상 차리고 설거지하느라 허리 펼 새도 없었다. 더욱이 나는 외며느리이니 도와주는 동서들도 없어 혼자 발목이 부어오도록 손님맞이를 해야 했다. 처음 시집왔을 때는 친정 식구가 너무 보고 싶어 마음이 울적할 때가 한두 번이 아니었다. 어느 해는 우리 친정 오빠들이 찾아와 얼마나 기뻤는지 지금도 잊을 수가 없다. 먼 산골에 여동생을 시집보내 놓고 보고 싶고 걱정이 돼서 오셨단다. 그리웠던 친정 오빠들 보는 순간 눈물이 왈칵 쏟아지고 천군만마를 얻은 듯 든든하기 짝이 없었다. "여보시오. 나도 이렇게 친정 형제가 있답니다. 나를 깔보면 큰일 납니다." 하고 외치고 싶었다. 내 편이 하나도 없는 시집에서 기가 죽어 살던 나는 기가 번쩍 살아나는 기분이었다. 그때는 여자는 여필종부 조선시대의 관념이 그대로 이어져 시집 식구만 받들어야 하는 시대였다. 나는 한 번도 명절에 친정집을 못갔으니, 그 설움은 이루 말할 수가 없었다. 이제는 나처럼 힘들게 살아왔던 시대가 반복되어서는 안 된다고 생각한다. 우리 며느리들은 꼭 행복하게 해주고 싶다. 그래서 무엇이든 며느리 편한 대로 하려고 노력한다.

이제 70세가 다 되니 여유도 생기고 마음도 편안해져 누구에게나 베풀고 살고 싶다. 항상 삶에 지쳐 무겁던 마음도 가볍고 몸도 가볍다. 시끌벅적하던 지난날은 꿈같이 지나가고 조용한 추석 명절 남편과 단둘이 마주 앉아 지난날을 회상해 보는 여유도 즐긴다. 나는 보통 사람들보다 더 센 명절 증후군이 있다. 더욱이 외며느리로 명절 때면 등에서 땀나게 호된 손님맞이를 했다. 이곳은 집성촌으로 일가친척들이 모두 한동네에 산다. 그래서 남이 없다. 대부, 대모님, 아저씨 조카님, 당질, 사돈에 팔촌까지 도무지 촌수를 알 수가 없을 정도로 온 동네 사람들이 친척이었다. 그래서 명절 때면 당내 집안 어른 아이들이 성묘와 명절 인사로 줄을 이어 온다. 외며느리인 나는 혼자 그 많은 사람들 다과상이며 점심상을 준비해야 했다. 손은 하나고 등판에 땀이 고이는 것을 느끼곤 했다.

넓은 거실에 6 인상 5개를 펴놓고, 수저를 놓고, 접시에 안주도 놓고, 떡도 놓고, 식혜도 담아야 하고, 술잔도 가져다 놓아야 하고 밥도 해야 하고, 국도 끓여야 하고, 과일도 깎아야 하는 그 많은 일을 나 혼자 해야 했다. 지원군이라고는 성묘 가야 한다는 아들들을 붙잡고 상 좀 펴라, 수저 놓거라, 안주 접시 갖다 놓거라, 술 갖다 놓거라 등등 아들들만 휘몰아쳤다. 끝도 없는 부엌일 손이 또 모자라면 연로하신 시어머님, 우리 집에 자주 오시는 윗마을에 사시는 당숙모까지 손을 빌려 "이것 좀 놓아주세요." "저

것 좀 가져다주세요." 몸이 힘든 줄도 모르고 뛰고 뛰어다니며 준비해서 한 차례 큰 손님을 무사히 치르고 나면, 힘들어 눈물이 나곤 했다. 남편은 나는 몸이 부서지거나 말거나 친척들 풍성하게 대접해 드리기를 원했다. 힘든 내 마음을 몰라주는 남편이 원망스러웠지만, 남편도 어쩔 수 없었을 거라고 이해하며 살아온 세월이 47년이다.

누가 늙음은 나쁜 것만도 아니라고 하더니 70세가 되어 슬프기만 할 줄 알았는데 나는 지금이 한창 무르익는 꽃 중년이다. 아들 며느리 효도도 받고 가정도 안정이 되어 남편도 행복해한다. 예쁜 손주까지 보고 나니, 할 일을 다한 듯 이제 좀 천천히 쉬면

서 즐기면서 인생 후반기를 살아가려 한다. 이 생각 저 생각하며 홀짝홀짝 마신 커피는 바닥이 벌써 다 드러났고, 천천히 일어나 보름달을 보며 소원을 빌어 보아야겠다.

최영자 애썼다~
잘했다~
장하다~
멋지다!

열 딸 부럽지 않은 우리 큰아들 작은아들

"준구 엄마~ 수구 엄마~" 우리 아들들이 태어나서부터는 최영자라는 나의 이름은 이렇게 바뀌고 말았다. 나는 남들이 자랑하는 딸도 하나 못 낳은 못난 엄마이기도 하고 열 딸 부럽지 않은 아들만 둘을 낳은 멋진 엄마다. 우리 큰아들은 이준구, 작은아들은 이수구. 우리 동네에서 준구 엄마 내지는 수구 엄마로 통한다. 우리 아들들 생각만 해도 믿음직하고 든든하다. 나에게 삶의 목표가 되어준 우리 아들은 내가 스물세 살 되던 이른 봄에 결혼하고, 다음 해 따뜻한 봄날 복숭아꽃 살구꽃이 예쁘게 피어 온누리를 꽃동네로 만들었던 4월에 든든한 큰아들이 태어났다. 음력 천구백칠십팔년 사 월 이십칠일 아침, 열 시경 우리 큰아들은 우렁찬 울음소리를 터트리고 우리 집 장손으로, 시어머님이 열망하던 고추를 달고 건강히 당당하게 태어나 시어머님께 효도하게 해 준 고마운 아들이다. 우리 작은 아들은 깊은 겨울 추위가 한창 맹위를 떨치고 온 세상을 고난과 역경을 다 덮어버리고 새 그림이라도 그릴 것처럼 하얗게 덮어 도화지가 되었던 눈 내리던 날 태어났다. 추운 새벽녘 천구백칠십구년 십이월 십이일 두 번째 고추를 달고 둘째 아들이 우렁찬 울음을 목청 높이 새벽 공기를 가르며 지르고 태어났다. 시어머님은 항상 외아들을 둔 것이 한이 되어 손자는 꼭 둘을 낳아야 한다고 말씀하셨는데, 두 번째 손자를 보시고 안도의 한숨과 함께 한을 푸신 듯 무척이나 기뻐하셨다. 둘째 아들이 또 한 번 효도하게 해준 고마운 아들이기도 하다.

우리 두 아들은 내가 결혼을 일찍 해서 젊은 시절에 다 낳았다. 큰아들은 시집온 지 6개월 만에 임신했다. 갑자기 밥맛이 뚝 떨어지고 기운이 없다 했더니 임신이란다. 오지 중에 오지 마을인 우리 마을에는 병원 가는 일은 죽을병이 들었을 때만 가는 줄 알고 있었으니, 젊은 새댁이 입맛이 없다고 하면 경험 많은 어른들이 의사인지라 "애기, 있구먼~" 임신부의 태도만 보아도 아들이구먼, 딸이구먼. 다 알아보시는 경험 많은 무면허 의사들이었다. 아이들이 아프면 며칠 앓고 일어나겠지, 반찬이 없으면 밭에서 심은 채소만 먹고, 생선이 먹고 싶으면 집 앞 바다에 나가 해로질

해서 먹고, 없으면 굶고. 그릇이 필요하면 짚으로 멍석을 만들고 멱꾸리를 만들고 댕댕이 넝쿨 끊어다가 시장바구니 만들어 쓰고, 수수 농사지어 빗자루 만들어 쓰시면서 살아온 어른들이셨다. 문명의 혜택을 전혀 모르고 사시는 어른들 속에 살았던 나는 어른들 말씀에 순종하고 사는 것만이 효부인 줄 알고 무조건 순종하고 살았다.

그랬으니 아이를 임신하고도 병원을 한 번도 못 가보고 열 달을 보내고 출산해야 했다. 큰아들 낳을 때도 하늘이 빨갛나 노랗다 죽을 것같이 배가 아팠지만, 참아야 한다기에 또 참고 참았다. 하지만 도무지 애를 써도 우리 큰아들이 나오질 않는 것이었다. 하는 수 없이 면 소재지에 있는 보건소 의사 선생님을 부른 후에야 우리 아들의 힘찬 울음소리를 들을 수 있었다. 아들을 낳았다고 이웃분들이 축하한다고 말씀하셔도 우리 시어머니랑 나는 너무도 힘들게 낳는 바람에 혼이 다 빠져 아들인지 딸인지 기뻐할 여유가 없었다. 그렇게 엄마를 힘들게 하고 나온 우리 큰아들은 씩씩하고 건강하게 태어났고, 울음소리도 집안 가득 찌렁찌렁 울렸다. 어머님은 애썼다고 하얀 쌀밥과 미역국을 끓여 주셨다. 밥이 어찌나 맛있는지, 미역국도 왜 그리도 맛있는지 지금 어느 비싼 궁중요리에 비할 바가 없었다. 산통이 힘들었어도 하루하루 소록소록 자라나는 모습을 보면 힘들었던 그 순간이 나도 모르게 다 잊어버리게 되고, 그 쪼그만 입으로 얼마나 힘차게 빨아 먹는지 꼴딱 꼴딱 넘어가는 소리가 이 세상 어느 음악 소리에 비하랴~ 그렇게 밤새 젖 먹고 자고 깨서 울기를 몇 번씩 잠을 설치고 나면 아침이 온다. 그래도 그때는 힘든 줄 모르고 다시 일어나 아침밥을 준비했다. 그때는 욕실이 따로 없었고, 방이라고는 냉방이다시피 했던 시절이었다. 가마솥에 물을 따듯하게 데워 세숫대야에 담아 방으로 들어와 아기를 목욕 씻겨 새 옷으로 갈아입히고, 젖을 먹여 재워놓고 또 농사일을 하곤 했다.

시어머님은 귀한 손주를 보았다고 축하 인사 받느라 바쁘셨고, 나는 좋아하시는 시어머님을 볼 때마다 효를 다한 듯 행복했다. 그렇게 우리 큰아들은 태어날 때부터 첫 손주로 태어나 귀여움을 독차지하고 자랐는데, 엄마 젖을 실컷 먹지도 못하고 그만 동생이 생겨 할머니랑 엄마 품을 양보를 해야 했다. 아직 태어난 지 두 돌도 안 되었는데 갑자기 동생이 생겨 젖을 못 먹게 되니, 울고불고 젖 달라고 엄마에게 애원하던 모습이 너무도 애처로웠다. 그때를 생각하면 지금도 가슴 아프다. 지금 같으면 우유라도 사서 먹였을 텐데, 시장에 가서 이유식을 사다 먹일 줄도 몰랐다. 갑자기 먹던 젖을 멈추고 이유식이라고는 하얀 쌀로 끓인 흰죽을 한 수저씩 먹일 줄밖에 몰랐었다. 얼굴이 반쪽이 됐던 우리 큰아들을 안고 많이도 울었었다. 그래도 건강하게 잘 커 주어 감사하고 고맙다.

시어머님은 세상에 어머님만 손자를 둘이나 본 듯 업고 걸리고 동네방네 자랑삼아 생일 집, 잔칫집, 친척 집을 가리지 않고 마실을 다니셨다. 정작 엄마인 나는 아기를 한번 제대로 안아보지도 업어보지도 못하고 농사일에만 바쁘게 살았었다. 농사일밖에 모르시던 어머님은 손주 둘을 보시더니 손주 바보가 되셨다. 그렇게 아들이 귀한 집에서 손자 둘을 보시니 니무도 흐뭇해 하셨고, 아무리 돈이 귀해도 손주 먹거리는 아끼실 줄 몰랐다. 하나뿐인 외아들 바라기 하시던 어머님이 손주 둘을 보시더니 아들은 뒷전이었고, 손주 사랑에 푹 빠지셨다. 우리 아들들은 할머님의 사랑을 듬뿍 받고, 고모들 사랑을 듬뿍 받고, 온 가족에 사랑을 받으며 자랐다.

우리 큰아들은 하루하루 무럭무럭 잘 자라 말도 배워 종알종알 말도 잘하고 웃기도 잘했고, 걸음마를 떼기 시작할 때쯤부터 기저귀를 찬 상태로 큰길에 나가 장난감 자동차를 밀고 다녔다. 그렇게 활동적이었던 큰아들은 사교성도 좋아서 어릴 때부터 친구도 많았다. 동네 친구는 물론 유치원 초등학교 중학교 등등. 날마다 친구들과 만남이 많았던 큰아들이었다. 그런 큰아들 덕분에 학부모들끼리도 친하게 되니 나도 덩달아 친구가 많아졌었다. 우리 아들들 자랄 때는 칠십 년 말에서 팔십년대 초라서 아직 농촌에는 자동차가 없었고, 좁은 시골 비포장길에 탈것이라고는 소구루마뿐이던 시절이었다. 학교 갈 때나 병원 갈 때는 산 고개를 넘고 논둑길을 걸어 삼십 분, 사십 분이 걸려 도착하는 소재지에 있는 정거장에 가야만이 버스를 타고 시내를 갈 수 있었다.

아이들이 감기에 걸려 병원에 가야 할 때는 아픈 아들을 업고 학교에 가서 같이 수업을 받고 수업이 끝나면 학교 앞 버스 승강장에서 버스를 타고 병원에 갔다. 지금 생각하니 서울에서 학군을 찾아 이사 다니는 열렬 학부모가 따로 있는 게 아니었다. 나도 그 열렬 학부모와 무엇이 다르랴.

우리 작은 아들이 감기에 걸려서 병원에 갔다 올 때 나를 애태웠던 이야기다. 작은아들을 업고 병원에 갔다가 집으로 오는 버스를 타고 오던 중 산비탈을 돌아가던 버스가 비포장도로 진흙탕길에 빠져 꼼짝을 못 하는 것이었다. 언제 진흙탕 속에서 빠져나와 다시 출발할지는 아무도 모른 채 안타까운 시간이 흘러가고 있을 즈음, 등에 업힌 아이가 "엄마~ 물! 엄마~ 물!" 하고 아픈 목소리로 물을 먹고 싶다고 칭얼거리는 것이었다. 인적없는 산기슭에서 차가 멈추었는데 사방천지 둘러보아도 물이 있을 곳이 없었다. 아이가 얼마나 열이 났는지, 내 등이 뜨거운 전기 장판 같이 후끈거렸으니 얼마나 목이 탔을까 내 마음이 타들어 가는 느낌이었다. 한참을 둘러보고 생각해 보니, 저만치 집이 한 채 보였던 생각이 나서 아이를 업고 뛰었다. 간신히 도착 물 한 모금을 얻어 먹이고, 다시 달려 와보니 버스는 이미 떠났다. "어쩌나, 어쩌나." 발을 동동 굴러 보지만 벌써 버스는 저 멀리 뒤꽁무니만 보이면서 달려가고 있었다. 어찌할 바를 몰라 하고 있을 때 다행히 한참을 그냥 가던 버스가 웬일로 뒤로 후진 나를 태우러 오는 것이었다. 산밑에 버려진 우리 아기와 나는 호랑이 밥이 될 뻔했는데 다시 와준 기사님이 얼마나 고마운지 잊을 수가 없다. 나중에 들으니, 차에 함께 탔던 이웃분들이 애타게 간청해서 기사님

마음을 돌이켰다고 한다. 고마운 분들 덕분으로 우리는 무사히 집에 올 수 있었다.

　우리 아들을 키우면서 고마웠던 우리 남편은 그 시절 다른 사람보다 최고의 아버지였다. 아이들 눈높이에 맞추어 잘 놀아줬고, 학교 공부를 잘할 수 있도록 지원도 해주었다. 그 시절 컴퓨터가 처음 생겨 시골 학교 보조 상품으로 왔을 때, 작은아들이 아버지께 요청하니 선뜻 사주겠다고 했을 때, 너무도 좋아서 펄쩍펄쩍 뛰었던 작은아들 모습 지금도 생생하다. 그렇게 아들을 위해 지원을 아끼지 않았고, 우수한 점수를 맞아 올 때면 학구열을 북돋아 주기 위해 오토바이에 두 아들을 태우고 읍내에 나가 맛있는 짜장면을 사주기도 했다. 이웃에 사는 어린 여자아이들은 우리 아이들 아버지를 보고 자기 아버지는 엄하기만 해서 나중에 내가 커서 시집을 가게 되면 준구 아버지 같은 사람과 살 거야 했을 정도로 우리 남편도 아이들을 위해 최선을 다했다. 한 살 터울로 자란 우리 아들은 친구처럼 쌍둥이처럼 똑같이 학교도 다니고, 모든 장난감에서 학용품까지 똑같이 사주어야 했다. 장난감 총, 장난감 칼, 눈썰매 등등. 장난감 사주는 일을 모르던 시절에 남편은 아들 장난감을 만들어 주느라 늘 바쁜 나날이었다. 초등학교가 집에서 4킬로미터나 가야 하니 자전거도 똑같이 사주었건만, 들길과

산길의 험한 길 달리니 남아나질 않았다. 매일 같이 두 아들 자전거가 펑크가 나고 고장 나서 학교 가는 아침이면 자전거 바퀴 때우느라 남편은 식사도 제대로 못 하고 아들이 학교 간 후에야 식사를 하곤 했다. 우리 아들이 초등학교 다닐 때는 자가용은 물론 버스도 안 다녔으며 비포장도로라 비가 올 때는 장화 없이는 못 사는 동네였다. 학교길에 비라도 오면 퍼럭퍼럭 빠져 하루에 운동화를 몇 컬레씩 버리고 마르지 않아 아궁이 앞에 앉아 말리기도 했다.

형제가 밥 먹을 때나 잠잘 때나 놀 때나 항상 사이좋게 함께 다니더니 둘째 아들은 한글도 학교 입학하기 전 다 깨우치고 입학했다. 형이 하는 일이면 모두 따라 하기를 좋아해, 형이 공부하는 앞에서 보고 배워 작은아들은 한글도 거꾸로 쓰기 시작해 어른들이 웃음을 자아내기도 했었다. 그렇게 배움에 욕심이 많았던 작은아들은 공부도 우등생으로 나를 기쁘게 해주었고, 반장으로도 뽑혀서 나를 반장 엄마도 해 보게 한 자랑스러운 아들이었다. 그리고 각종 과학대회에 나가면 이 상, 저 상 많이 타와서 나를 행복하게 해주었다. 나는 이 세상에 나만 천재 아들을 낳은 줄 알고 살았다. 두 아들이 어릴 적에는 친정집에도 자주 데리고 갔었다. 친정 오빠네 조카들도 우리 아이들과 나이가 비슷해 오빠는 가족

나들이에 우리 애들도 같이 태우고, 유원지 수영장과 계곡에 가서 물놀이도 하고, 바닷가에 가서 조개도 캐고, 배도 타면서 한없이 즐거워하던 우리 아들들 모습이 지금도 생생하다. 아이들과 좋은 추억을 만들게 해준 오빠와 올케가 너무도 고맙고 감사하다. 어느 해는 우리 아들이 초등학교 시절에 이웃 세 가족과 함께 멋진 섬에 놀러 갔던 추억도 있다. 지금 생각하니 참 잘했다는 생각이 든다. 그렇게 우리 아이들이 성장하는 모습을 보면서 함께 웃고 행복했었다.

세월이 흘러 우리 아들은 고등학교에 가기 위해 엄마 곁을 떠나보내야 했었다. 이곳 시골 동네는 아이들의 장래를 위해 상급학교를 보내려면 먼 도시로 떠나보내는 게 관례였기에 자연스레 우리 아들들과 헤어져야 했다. 아이들 없는 집안은 연로하신 어머님과 우리 부부 어른들만 남아 쓸쓸한 분위기 그 자체였다. 갑자기 엄마를 떠나 낯선 큰고모님 집에서 학교에 다니느라 큰고모님도 힘들었고 아이들도 힘들었을 텐데도 우리 아들은 잘 이겨냈다. 그리고 서울로 대학에 가게 되니 얼굴마저 보기가 더 힘들어졌다. 농사일로 자주 가보지도 못하고 그저 전화로 안부만 묻고 살았다. 장하게도 우리 아들은 잘 자라 주었다. 서울에서 큰아들은 참하고 똑똑하고 예쁜 큰며느리를 만나 결혼을 가정을 꾸리고 회사에 다닌다. 작은 아파트도 당첨되는 행운을 얻고, 귀여운 늦둥이 아들까지 얻은 행운의 주인공이 되어 알콩달콩 재미있게 살고 있다. 작은아들은 오지 중의 오지인 동네에서 태어났지만, 예쁘고 참하고 똑똑한 우리 둘째 며느리를 만나 결혼하고, 예쁜 아들도 낳아 지금은 미국 텍사스에서 세계에서 제일 큰 애플사에 입사해 열심히 꿈을 키우며 가정을 꾸리고 살고 있다. 지금은 대통령 엄마 부럽지 않고, 세계적인 방탄소년단 엄마 부럽지 않다. 더욱이나 예쁜 손주들을 낳아 안겨주니 효자 중에 효자, 우리 아들만 한 효자가 또 있을끼.

엄마가 잘해 주지도 못했는데 잘 자라 주어서 고맙다.

사랑한다. 우리 아들들.

우리 예쁜 손자들 무럭무럭 잘 자라거라.

나에게 기쁨을 안겨준 우리 가족 항상 건강하고 행복해지길 기원 또 기원한다.

우리 두 며늘아기 맞이하던 날

"어머님 아버님 안녕하세요. 별고 없으시지요?" 상냥한 목소리로 안부를 묻는 전화 너머 예쁜 목소리는 우리 딸 같은 큰 며늘아기, 작은 며늘아기다. 두 며늘아기가 번갈아 안부 전화를 한다. 나에게는 딸같이 예쁜 며늘아기가 둘이나 있다. 너무도 사랑스럽다. 처음 우리 집에 왔을 때 기쁘고 설렜던 기억을 잊을 수가 없다. 인생의 기쁨 중에 새 식구를 얻는 것처럼 더 기쁜 일이 있을까 싶다. 평소 색시 하나 못 사귈 것 같던 무뚝뚝한 우리 아들이 예쁜 색시를 얻어 결혼식 때 신랑으로 입장 할 때 너무도 대견했고, 하얗고 예쁜 드레스를 입고 신부 입장하던 큰 며늘아기와 작은 며늘아기 하늘에서 내려온 천사 같았다.

이런 연분이 어찌 이리 늦게 나타났을까. 결혼이 늦어져 부모님 마음을 무던히도 태우던 우리 아들이 예쁜 색시 데리고 와서 인사를 하고 결혼하겠다고 선언하던 날, 남편과 나는 어깨춤이 절로 나오는 걸 참을 수가 없었다. 너무도 기뻐서 남편과 나는 며늘아기 얻던 경사스러운 날 큰 잔치를 벌여 마음껏 자랑하고 싶었다. 형제들, 집안 어른들, 이웃분들과 지인분들께 푸짐한 음식도 대접해 드리고 싶었다. 남들은 피로연을 예식장에서 하고 편하고 간단하게 하는데, 우리는 힘들어도 집에서 이웃분들과 지인들의 도움을 받으며 뻑적지근하게 전통 방식으로 국수 삶고, 돼지 잡아 차리기로 했다. 청첩장에 "우리 아들 결혼합니다. 축하해 주러 오십시오(피로연 자택)" 이렇게 인쇄하여 우편으로 띄웠다.

이 세상에 나만 며느리 보는 것처럼 신이 나고 행복해서 입이 다물어지질 않았다. 시장 보러 갈 때도 신이 나고, 잔치하는 날도 힘든 줄 모르고 하루 종일 쉼 없이 뛰어다녀도 힘들지가 않았다. 우리 큰아들 작은아들 장가가는 날은 모두 겨울이었는데도 날씨가 맑고 따듯해서 축하해 주러 오시는 하객마다 한마디씩 했다. "복 많은 며느리가 들어오나 보네. 행복하게 잘 살겠는걸!" 칭찬을 아끼지 않았다. 남편은 조상 대대로 고향에서 어릴 때부터 살았으니, 친구도 많고 도와주시는 분들과 축하객도 많아 음식도 많이 장만해야 했다.

큰 하우스에 탁자와 의자를 놓고 잔칫상을 차리고 이웃분들과 지인들이 나서서 잔치 음식을 만들었다. 우리 잔치이기보다 온 동네잔치가 되었다. 동네 분 다 모여 맛난 음식 차리고, 타지에서 오는 손님맞이하고, 먹고 즐기고 모두 신이 났다. 국수는 친구들과 이웃분들이 맡아 삶고, 커다란 통돼지를 잡아 안주 장만하는 것은 동네 건장한 남자분들이 맡았다.

국수 한 사발 먹고 고기 안주 마음껏 먹고 완전 축제 분위기였다. 오시는 하객들도 푸짐한 음식을 마음껏 드시고는 복잡한 시내 예식장에서 드시는 뷔페 음식보다 찬 없어도 김치 한 가지 놓고 먹는 잔치국수 한 그릇이 더 최고라고 흐뭇해하신다. 그렇게 피로연을 푸짐하게 끝내고, 다음날은 관광버스로 집안 식구와 지인들을 태우고 예식장에 갔다.

내가 주인공인 양 한복 곱게 차려입고 남편은 멋진 양복 차려입고 예쁜 며느리를 맞이하는 들뜬 마음을 주체할 수 없어 입을 다물지 못한 채 버스에 몸을 실었다. 우리 큰아들 결혼식 하던 날은 잊지 못할 에피소드가 있다. 우리 큰아들은 서산에 있는 예식장을 선택하지 않고 굳이 서울에서 하겠다고 하니 할 수 없이 결혼 당사자의 뜻에 따르자고 관광버스를 미리 예약해 놓았었다. 약속한 대로 집 앞으로 관광버스가 도착 식구들과 이웃분들을 태우고 출발하려는데 이게 웬일인가. 갑자기 시동이 안되는 것이었다. 기사님이 이리저리 시도를 해보아도 차는 꼼짝을 안 하는 것이었다. 시간은 자꾸 흘러가고 하는 수 없이 서산 시내에 있는 정비 기사를 부르니 거리가 워낙 멀어 오는 시간이 한참이나 흘렀다. 한참을 수리한 끝에 시동이 되어 부랴부랴 달렸고, 하필 서해대교도 교각이 벼락을 맞아 임시 끊어놓은 상태 먼 길로 돌아가야 했다. 엎친 데 덮친다고 서울 시내에 들어서니 출근 시간에 걸려 꽉 막힌 도로에서 시간을 다 보내야 했다. 가까스로 예식상에 도착하니 1분 전이란다. 하객들 인사도 받을 새 없이 예식장 안으로 달려야 했다. 허둥지둥 정신없이 신랑 부모님 의자에 앉자마자 사회자가 바삐 시작을 알린다.

아마도 엄마 아빠한테 깜짝쇼를 보이고 싶었던지 자기들끼리 계획한 결혼식으로 겉치레를 많이 줄인 듯 주례사도 없고, 신랑 아버님과 신부 엄마가 앞 단상에 나가 간단한 인사 말씀으로 주례사를 대신했다. 아무것도 모르는 채 우리 부부는 다음 순서를 기다렸는데, 난데없이 음악 소리와 함께 신랑 신부가 손을 잡고 방긋방긋 웃으며 노래하고 춤을 추며 들어오는 것이 아닌가. 새 신부는 하얀 예쁜 드레스에 면사포를 쓰고 꾀꼬리 같은 목소리로

노래하며 신랑은 까만 양복에 하얀 남방 받쳐 입고, 목에는 나비
넥타이를 매고 둘이 발을 맞추어 멈칫멈칫 춤을 추며 입장하는
모습이 너무나 아름다워 어느 연예인들이 쇼를 하는 축제장 분위
기였다. 얼마나 즐겁고 행복했는지 헐떡이며 달려오느라 까맣게
탔던 속이 봄날 얼음 녹듯 스르르 풀리고 마음이 환하게 피어올
랐다. 양가 부모님과 하객들에게 멋진 결혼식을 보여준 우리 아들
며느리 너무도 예뻤다. 그렇게 아수라장이 될 뻔했던 결혼식을 무
사히 멋지게 마치게 되었던 큰아들 결혼식 잊지 못할 것 같다.

작은아들 결혼식은 집에서 피로연을 하고 서울 사시는 사돈어른들이 양보를 해주셔서 우리는 가까운 서산 시내에 있는 결혼식장에서 결혼식을 해서 멀리 가야 하는 어려움 없이 수월히 예식장에 갈 수 있었다. 형보다 먼저 하는 결혼이라 우리 부부는 가슴 한편이 먹먹하고 허전한 마음이었다. 미국 가기 전 결혼식을 하고 가야 한다고 서둘러 했다. 먼저 가서 공부하던 며늘아기가 미국에서 먼 길 비행기를 타고 와서 결혼식을 하고 신혼여행을 다녀와서 곧바로 미국으로 들어갔으니 혼자 있는 아들도 안타깝고 미국에서 혼자 있는 며늘아기도 안타까웠다.

작은아들도 결혼 전 치르는 상견례할 때 있었던 에피소드가 있다. 상견례를 하면 당연히 신랑 신부 될 사람들이 같이 있어야 하는데 우리 며느릿감은 미국에 먼저 가 있어 신부 측에서는 신부 없이 상견례에 참석하셨다. 상견례 때는 우리가 서울로 사돈어른들을 만나러 갔었다. 신랑감인 우리 작은 아들이 안내해서 버스 터미널 근처 식당에서 만나 상견례를 했었다. 그렇게 좋은 추억과 이야깃거리를 만들며 맞이한 우리 예쁜 딸 같은 며느리들 나에게는 너무 소중하다.

내가 딸을 낳지 못한 이유가 있다. 내가 아이를 낳던 칠십년대에는 "둘만 낳아 잘 기르자. 셋부터는 거지꼴을 못 면한다."라던 때, 아이를 적게 낳아 잘 기르자는 표어가 전봇대마다 붙어있고 국가적으로 산아 제한을 적극 권장하던 때라서 딸을 낳아 보겠다고 계속 낳을 수는 없었다.

귀여운 아들 둘을 키우며 알토란 같은 손자를 둘씩이나 보았다고, 세상에 대박이라도 터진 듯이 로또라도 당첨된 듯이 좋아하시는 시어머님 때문에 딸을 낳겠다는 생각은 한 번도 해본 적이 없었다. 그때만 해도 남아선호 사상이 짙어 아들을 둘씩이나 낳은 나는 집안에서 이웃에서 모두 부러움의 대상이었다. 그렇게 아들만 둘을 두어 남부럽지 않게 살 줄 알았던 내가 이제 아이들을 내보내고 나이가 드니 이제 서서히 딸이 그리운 때가 왔나 보다. 남들 딸 자랑하면 부럽고 친구 같은 딸 하나만 더 낳을 걸 후회가 들 때도 있었다.

수양딸을 하나 만들어 볼까도 생각해 보았다. 그런데 그것도 쉽지 않은 일이었다. 우리 남편도 딸이 하나 있으면 하는 간절한 눈치였다. 무뚝뚝한 아들들 목소리만 듣고 사니 상냥하고 예쁜 목소리가 왜 그립지 않을까.

가족들이 모임에 술좌석을 차리면 아들 둘이 아버지 편이 되어 쿵커니 자커니 잘도 통하는데 내 편은 없었다 내 편인 딸이 있었으면 하고 기다렸는데 자연으로 내 편 딸이 생겼다. 이제 여

성끼리 할 말이 있으면 우리 며느리들하고 상의하면 될 것이다. 우리 사랑스러운 며느리들은 마음씨도 착하고 시어머니를 친정엄마인 양 살갑게 해주어 너무 고맙다. 적막하던 집안 분위기에 며느리들이 오면 웃음꽃이 핀다 거기에 우리 며느리들은 아들도 쑥쑥 잘 낳아 안겨 주어서 더 바랄 것이 없다. 우리 며느리들은 딸처럼 시어머니 시아버지하고 포옹도 잘한다. 그리고 음식도 잘하고 설거지도 잘한다. 사회에서도 최고 집에서도 최고 살림도 최고 아이들 가정교육도 최고이다. 행동 태도를 보아도 수수하고 말 한마디 하는 솜씨를 보면 우리 며느리들은 나무랄 데 없는 최고의 며느리이다. 물론 얼굴도 최고로 예쁘다. 우리 며느리들이 내 편에서 말 한마디 한마디 자상히 해줄 때는 효부 중의 효부이다.

항상 내가 힘들까 봐 걱정해 주고 어머님이 힘들게 한 것이라고 어쩌다 보낸 김치 한 조각도 소중하게 생각하는 우리 며느리들 너무 고맙고 예쁘다. 우리 며느리들은 아기도 키우는 일도 혼자 해냈다 시어머니 도움 없이 혼자 다 키우느라 얼마나 힘들었을까 바쁜 농사일로 어머님이 더 힘드시다고 오히려 나를 걱정해주는 내 편 딸 같은 며느리들, 아기 키우느라 힘들 때 못 도와주어서 너무 미안하다.

사랑하는 며느리들에게 우리 부부는 폐 끼치는 시부모가 되어서는 안 된다고 남편과 나는 늘 말한다. 우리 아들 며느리는 이 세상에 최고로 행복하게 해주고 싶다. 맛난 음식도 많이 해주고 싶다. 우리 며느리들은 새 세상 좋은 세상에 주인공이 되어 마음껏 날개를 펴고 살게 하고 싶다.

건강하게 잘 행복하게 살아다오.

사랑한다. 우리 며늘아기들~

나의 친정어머니

"우리 막내딸 일하느라 많이 힘들지?

바쁜데 뭣 하러 왔니? 어서 가거라~

밥 먹고 가거라~

시어머님께 잘하고 사위한테 잘하거라~"

친정에 가면 으레 막내딸 걱정하시던 친정어머니, "요즈음 밥 굶고 다니는 사람이 어디 있다고 저런 말씀을 하실까 엄마는 걱정도 팔자셔~" 안 해도 되는 말씀을 자꾸 하셔서 올케 힘들게 하시는 건 아닌가 못내 걱정이 되어 감사한 마음보다 부담스러움이 커서 친정 가기가 싫었던 적도 있었다. 지금 친정어머님이 안 계시니 그런 친정엄마의 사랑이 또 있을까 보고 싶고 그리워진다.

나는 음력 1955년 2월 3일 서산시 음암면 탑곡리 1구 농촌 마을에서 농사와 정미소를 운영하시는 아버지와 어머니 사이에서 칠 남매 중 6번째로, 위로는 오빠 셋과 언니 둘, 아래로 남동생 하나 남부럽지 않은 형제 중 셋째는 선도 안 보고 데려간다는 딸 중에 세 번째 막내딸로 태어났다. 특히나 남동생과 나는 늦둥이 남매로 오빠 언니들과 10살 이상씩이나 차이 나서 부모님 귀여움을 독차지하고 살았다. 그리고 어렸을 때부터 우리 남동생과 나는 이 세상에 둘밖에 없는 남매처럼 손 꼭 잡고 학교에 다녔다 그래서인지 지금도 남동생 생각만 하면 마음이 찡하다. 친정엄마는 오빠 언니한테 못다 한 사랑을 아낌없이 늦둥이 남동생과 나에게 퍼 주셨다. 유난히 막내딸을 좋아하셨던 엄마는 막내딸이 얼마나 보고 싶으셨던지 시집보내고 한 달도 안 되던 어느 날, 백 리 길 그 먼 길을 한걸음에 달려오셨었는데, 엄마 마음도 모르고 나는 엄마 오신 게 반가움보다 원망하는 마음이 더 컸었다 갓 시집을 와 시어머님도 어렵고 남편도 어려운 가운데 친정엄마께서 오셨으니 딸 입장을 생각 못 하시고 달려오신 친정엄마가 한없이 원망스러웠다. 지금 생각하면 딸 보고 싶어 달려오신 어머님을 얼싸 안고 얼굴도 비비고 손도 만져 보고 "엄마 나도 보고 싶었어요~" 밤새 얘기 나누고 엄마 손 꼭 잡고 잠들었어야 했는데 반갑다고 하기는커녕 엄마가 불편해 입이 쭈욱 나오고 퉁명스런 말투로 찬도 없는 밥을 해 드렸으니, 친정에서는 친정엄마밖에 모르고 살던 귀여운 막내딸이 결혼하더니 어쩜 저리 냉정하게 변했을까 얼마나 서운해하셨을지 생각하면 큰 불효를 저지른 것 같아 마음이 아프다. 그때는 왜 그리 시어머님이 어렵게만 느껴져 마음도 감추고 살아야 했는지 모른다. 내가 부모가 되고 자식을 멀리 타국으로 보내고 난 후에야 엄마의 마음을 알았으니 뒤늦은 후회이다.

사랑하는 엄마를 살아계실 때 바쁘다는 핑계로 자주 못 가 뵙고 호강 한 번 못 해 드린 게 한이 된다. 지금 살아계신다면 우리 집에 모셔 와서 맛있는 반찬에 부드러운 찰밥도 해드리고, 분위기 좋은데 모시고 가서 맛있는 차도 사 드리고 용돈도 드리면서 살가운 목소리로 한없이 지난 이야기꽃을 피우고 싶다. 그리고 엄마를 차에 모시고 끝없이 드라이브도 하고 싶다. 예쁜 우리 막내딸이 엄마를 태우고 직접 운전을 하며 신나게 드라이브 갔다 왔다고, 좋은 곳에 구경하고 왔다고, 맛난 것 먹고 왔다고 동네방네 자랑하고 다니실 텐데 평생 자식 자랑 한번 못해보시고 돌아가신 우리 엄마, 여기저기 꽃이 만발하는 봄이면 더욱 생각나는 우리 엄마, 이제 좋은 옷을 보면 가슴이 찡하게 생각나는 우리 엄마, 살아계실 때 왜 못해 드렸을까 후회하고 후회하지만, 지금은 내 곁에 안 계신다.

우리 엄마는 "막내딸을 많이 못 가르쳐서 미안하다.", "농촌으로 시집을 보내서 일만 하게 해서 미안하다." 늘 내게 말씀하시곤 하셨다. 우리 엄마가 지금 살아 계신다면 막내딸이 공부 열심히 해서 대학도 졸업했고, 사업장도 차려 여사장이 되고 서산 명인이 되었다고 흐뭇해하실 텐데, 살아 계실 때는 못난 모습만 보여드려 한이 된다. 우리 엄마는 왜 나를 남들처럼 예쁘게 낳아 주시지도 않고 공부도 많이 안 시켜 주고 불편하기 이를 데 없는 산골 마을 외아들에게 시집을 보내셨을까? 엄마를 볼 때마다 투정을 부렸던 것이 후회된다.

지금 내가 엄마 나이가 되니, 그때 엄마에게 원망했던 일들이 긍정의 꽃이 되어서 지금 이렇게 몸과 마음이 건강하고 마음 편히 살게 된 것이 모두가 나를 사랑해 준 엄마 덕이라고 생각한다.

내가 첫 아이 임신을 해서 입덧을 심하게 할 때 시어머님은 나를 친정으로 휴가를 보내주셨다. 며칠 밥을 먹지 못해 걸음걸이도 흐느적거렸던 나를 반갑게 맞아주시든 엄마 앞에서 나는 펑펑 울었었다. 심하게 입덧하는 나에게 먹고 싶은 것 다 사주시고 응석을 다 부려도 다 받아주시고 튼튼한 아기를 순산하게 해 주신 큰 산처럼 든든한 우리 엄마였다. 막내딸이 혹여 시집 잘 못 갈까 봐, 못된 남자 얻어 고생할까 봐, 여기저기 혼처

자리를 마다 않고 다니시면서 고르고 골라서 지금의 착한 남편에게 시집가라 하셨던 엄마의 안목을 착한 아들과 며느리 손주가 생기니 알 것 같다.

친정엄마는 맏며느리로 시집을 오셔서 고생하시는 모습만 보고 자랐다. 내가 어릴 때는 우리 엄마는 웃을 줄 모르는 사람인 줄 알았다. 할아버지와 작은아버지 한 분도 6·25전쟁 때 돌아가셔서 한꺼번에 남편과 자식을 잃었던 할머님은 슬픔을 이기지 못해 누워서 앓으시는 날이 많았다. 아버지는 술에 취해 오시는 날이 많아서, 그때는 무서운 아버지인 줄로만 알았다. 엄마는 농사일 하시랴, 할머니 병수발 하시랴, 정미소 하시는 아버지 내조하랴, 어린 삼촌과 고모들, 우리 칠 남매까지 많은 식구들 건사하시느라 매일 일만 하시는 엄마인 줄 알았다. 할머니는 엄마에게 "죽 끓여 오너라.", "고깃국 끓여 오너라.", "맛이 없으니 다시 해오너라." 하시면서 늘 힘들게 하셔도, 엄마는 더 잘해 드리지 못해 안달이었다. 어린 나는 엄마에게 시집살이시키시는 할머니가 아주 원망스러웠지만, 엄마는 오히려 우리에게 "할머니를 잘 해드려라.", "할머님 말씀 잘 들어라.", "맛있는 음식이 생기면 제일 먼저 할머님께 드려라."라고 말씀하셨다. 한참 지난 후에 엄마는 내게 말씀하시길 "할머니는 6·25전쟁에 하늘 같은 남편과 사랑하는 자식을 동시에 잃으셨으니 얼마나 마음이 아프셨겠느냐, 그래서 몸져누우셨던 거란다"라는 말씀을 듣고 나서는 할머니가 너무도 안쓰러웠던 생각이 난다. 그러니 할머님께 잘 해드려야 한다고 누누이 말씀하시던 엄마가 지금도 생각난다.

큰오빠가 중학교에 들어갈 때쯤 6·25전쟁이 나서 형편이 어려워진 우리 집은 오빠 언니들은 학업을 중단하고 농사 일을 할 수밖에 없었다. 식구는 많고 농사지을 땅은 적으니, 아버지는 돈을 버셔야 해서 한 일이 정미소 사업이었다. 모아둔 돈이 없으니 빚을 얻어 새로 정미소를 짓고 큰 기계를 사시느라 늘 우리 집은 늘 빚을 안고 살았다. 그러니 살림은 나아지지 못하고 항상 쪼들려 엄마는 가족들이 굶주릴까 봐 밤낮으로 오빠와 언니들을 데리고 길쌈을 하고, 농사 일을 해야 했다. 낮에는 넓은 텃밭 보리밭을 매시고, 밤에는 길쌈을 하셨다. 그리고 틈틈이 농사지은 볏짚으로 새끼를 꼬아 가마니를 짜서 서산시장에 내다 파셨다. 하루는 추운 겨울 눈보라가 치던 날, 가마니를 이고 장에 팔러 가시는 엄마에게 "엄마, 나도 따라갈래요." 하고 졸랐다. 철없던 나는 없는 것 빼고는 다 있다는 서산시장이 그렇게도 가고 싶었다. 엄마를 따라가 내가 사고 싶은 것 다 사고 싶은 욕심으로 엄마께 따라가겠다고 조른 것이다. 엄마는 나에게 가마니를 두어 장 묶어 머리에 얹어 주시고 "그러면 따라오너라." 하시며 앞장서셨다. 그때는 버스가 없던 시절이라 엄마랑 나는 서산 시장가는 20리 길을 눈보라 속을 헤치며 논길을 지나 밭둑을 지나 저수지의 높은 둑방 길을 걸었다. 처음에는 가벼웠던 짐이 몇 걸음 걸으니, 머리가 아프기 시작했다. 손과 발이 꽁꽁 얼고 눈보라가 앞을 가려서 걸을 수 없었다. 쉬지 않고 부지런히 걸어야 서산 시장에 해 전에 도착한다. '엄마는 이렇게 힘든 길을 비가 오나 눈이 오나 식구들을 위해 다니셨구나. 얼마나 힘드셨을까?' 철없이 조른 나는 한없이 죄송했다. 어렵게 머리에 이고 가서 판 가마니 값은 아주 적은 돈이라서 이것저것 살 수가 없었다. 그래도 엄마는 내게 까만 운동화를 사 주셔서 돌아오던 발길이 너무 행복했다. 어릴 적 까만 운동화는 엄마와 함께 나의 추억으로 남아 있다.

친정엄마는 힘든 세월을 사시면서도 문학소녀 멋진 엄마이셨다 그때 그 시절 우리 엄마는 그렇게 얼마 안 되는 가마니 몇 장 판돈으로 할머니와 아버님이 좋아하시는 반찬도 사 오시고,《장화홍련전, 콩쥐팥쥐》같은 유명 소설책도 사 오셔서 읽으시곤 하셨다. 길쌈을 해서 온 식구 옷을 만들어 입히신 친정엄마는 낮에는 농사를 지으시고 밤에는 모시와 삼베를 삼으시느라 한쪽 무릎을 내놓으시고 앞에 놓인 모시 한 가닥 가져다 입에 물으시고, 다른 또 한 가닥 가져다 함께 모아 침을 바르시고, 무릎에 싹 비비면 모시 가닥들이 길게 이어져 실이 되어 날실을 만드시고 베를 짜서 식구들 옷을 만들어 주셨다. 그럴 때마다 엄마의 무릎은 비비고 또 비벼서 살이 빨갛게 되어 상처가 터지기 직전이었으니 얼마나 아프셨을까, 지금 생각하니 마음이 찡하다.

엄마는 어린 자식들에게 남은 한쪽 무릎을 베개로 내어주시고, "구렁덩덩 신선비, 장화홍련전, 콩쥐팥쥐" 같은 옛날이야기를 많이 들려주시곤 했다. 나는 엄마 무릎베개에서 옛날이야기를 들으며 꿈을 키우고 살았던 것 같다. 엄마의 옛날이야기는 슬픔과 공포 분위기가 공전하는 흥미진진한 이야기 자장가로 변하여 나도 몰래 스르르 곤히 잠들곤 했는데, 그때 엄마의 무릎베개는 잊을 수가 없다. 엄마에게 들었던 옛날이야기 덕분에 내 아이를 키울 때 이야기 소재거리를 찾는 데 어려움이 없었다.

엄마는 자주 말씀하시길, 외할머니가 현명하셔서 여자도 한글은 읽을 줄 알아야 한다며, 엄마를 어렸을 때 서당에 보내서 한글을 배우셨다고 했다. 정월 대보름 때면 동네 아주머니들 모아놓고 토정비결도 모두 봐 드리던 모습이 생각난다. 그런 엄마를 보고 자라서인지 나는 초등학교에 입학하자마자 한글을 다 깨쳤고, 그래서 담임선생님은 한글을 아직 못 깨친 친구들을 도와주라고 하셨다. 그리고 국어 시간을 좋아했고 많이 기다려졌다. 방학 때면 학교 도서실에서 동화책을 많이 빌려다 읽곤 했다. 엄마는 가정 형편이 좀 나아질 무렵, 초등학교의 기성회비도 잘 주셨고, 가을 운동회 단체복인 예쁜 하늘색 멜빵 치마를 추석빔으로 해 주셨고, 수학여행도 보내주셨고, 학용품도 잘 사 주셔서 어려움 없이 학교 공부를 마칠 수 있었다. 그때는 주변에 가정 형편이 어려워 기성회비도 못 내서, 매번 선생님에게 벌 받는 친구들이 많았으며, 학교보다는 집에서 부모님 일 도와드리느라 결석하는 친구들도 많았다. 학용품 살 돈도 없고, 운동회날 운동복도 없어 결석하는 아이들이 너무 많았던 시절이었다. 지금 생각하니 어려움에서도 막내딸을 부족함 없이 뒷바라지 해주신 친엄마가 한없이 고맙다.

중학교 진학할 무렵에는 삼촌과 고모 그리고 오빠와 언니들도 학교에 못 보냈기에, 너도 안된다고 딱 잘라 말씀하셨다. 그러나 중학교 가고 싶다고 조르는 막내딸이 안쓰러웠는지 엄마는 내가 잠든 밤에 살며시 곁에 오셔서 "애야~ 어쨌든, 시험이라도 한번 보거라."라고 허락을 해 주셨다. 나는 뛸 듯이 기뻐서 밤잠도 안 자고 공부해서 중학교에 합격했다. 이렇게 어릴 때부터 엄마가 힘들게 사시는 모습을 보고 자란 나는 나만이라도 엄마 속을 썩이

지 않으려고 무던히 애를 썼다. 가지 많은 나무에 바람 잘 날 없 듯이, 언니와 오빠들 때문에 속상해하시는 모습을 많이 보고 자랐 다. 나보다 13살이나 많은 언니는 서울로 친척들 따라 상경했는 데, 몇 년이 지나도록 소식이 없어 서울에 갔다 오는 친척들만 보 면 "우리 아무개 보셨나유?"라고 하시며 애타게 물으시던 엄마 모습이 생각난다. 살림 밑천 큰딸을 험한 객지에 보내고 소식마저 끊겼으니 엄마는 밤잠도 못 자고 얼마나 애가 타셨을지 지금도 생각하면 가슴이 너무 아프기만 하다. 그래도 엄마 살아생전에 언 니가 무사히 돌아와 엄마 품에 안겼으니 얼마나 다행이었는지 모 른다. 그때는 엄마를 애태우고 걱정하시게 한 오빠 언니들이 너무 미웠다. 그래서 나는 엄마가 걱정하는 일은 안 하려고 노력했고 나중에 시집을 갈 때도 꼭 엄마가 마음에 드는 사람에게로 시집 을 가리라 마음먹었었고 엄마 뜻에 따르는 일이 많아 나름 엄마 를 편하게 해드린 것 같은데 지금 내가 엄마 나이가 되어 보니, 못해 드린 게 너무 많다. 그렇게 평생 엄마는 걱정 끊어지실 날이 없었고, 엎친 데 덮친다고 셋째 오빠를 장가보내고 몇 해 안 되어 아버지는 그만 술병으로 돌아가셨다. 당시 동네에서도 집에서도 큰 버팀목이자 대들보이셨던 아버지가 돌아가시니 하늘이 무너지 고 앞이 캄캄했다. 엄마는 슬플 새도 없이 어린 셋째 아들과 큰 살림과 정미소 운영을 해야만 했다. 그때가 엄마 연세가 오십 대

중반이었는데, 엄마가 다 늙어서(?) 아무 생각도 없으신 줄로만 알았다. 엄마가 말씀만 하시면 "엄마, 이제 아버지가 안 계시니 오빠나 올케의 뜻에 따르세요"라고 말하면서 엄마의 꿈을 무시하곤 했다. 지금 생각하니 엄마 마음을 헤아리지 못 한 게 한이 된다.

　막내딸인 나를 시집보내고 친손주, 외손주까지 다 보신 엄마는 86세 되시던 해 막내딸 생일날 영면하셨다. 막내딸을 그렇게도 사랑하시더니 막내딸의 생일날에, 막내딸의 손을 잡고 편안히 눈을 감으셨다. 엄마는 막내딸 배고플까 봐 제삿밥이랑 미역국을 먹이려고 막내딸의 생일날 돌아가신 듯하다. 그래서 엄마 제삿날을

잊을 수가 없다.

그렇게 엄마를 걱정하게 했던 칠 남매 모두 인생을 부지런하고 선하게 잘 사신 부모님 덕에 자손 번창하고 건강하게 멋진 노년을 맞이하고 있다. 엄마를 똑 닮은 막내딸도 활동도 많이 하고 이런 좋은 교육도 받게 되어 엄마에 대한 글도 써 본다. 엄마, 감사합니다!